ANDRE BØGER AF JEFF KINNEY

Jeff Kinney

Wimpy Kid

IKKE en DAGBOG

Oversat af Kim Langer

GYLDENDAL

Wimpy Kid, ikke en dagbog
er oversat af Kim Langer
efter 'Diary of a Wimpy Kid'
Copyright dansk udgave © Gyldendal 2012
Wimpy Kid text and illustrations copyright © 2007 Wimpy Kid, Inc.
DIARY OF A WIMPY KID®, WIMPY KIDTM, and the Greg Heffley design™
are trademarks of Wimpy Kid, Inc., and the design of this work's jacket
is trade dress of Wimpy Kid, Inc. All rights reserved.
First published in the English language in 2007
By Amulet Books, and imprint Harry N. Abrams, Inc., New York
Original English title: 'Diary of a Wimpy Kid'
All rights reserved in all countries by Harry N. Abrams, Inc.

Bogen er sat med WimpyKid hos Narayana Press, Gylling
Trykt hos Livonia Print
Printed in Latvia 2019
1. udgave, 9. oplag
ISBN: 9788702126754

TIL MOR, FAR,
RE, SCOTT OG PATRICK

SEPTEMBER

Tirsdag

Allerførst skal du vide én ting: Dette er IKKE en dagbog, det er en NOTESBOG. Jeg ved godt, hvad der står på omslaget, men da mor tog ud for at købe den, gav jeg hende UDTRYKKELIGT besked på at købe en, hvor der ikke stod "dagbog" på forsiden. Herligt. Nu mangler det bare, at en eller anden idiot ser mig med den, så ved jeg godt, hvad der sker.

Den anden ting, vi også lige så godt kan få på plads med det samme, er, at det var MORS idé og ikke min. Og hun kan godt glemme det, hvis hun tror, jeg har tænkt mig at skrive om mine "følelser" og den slags. Så du skal ikke sætte næsen op efter en hel masse "Kære dagbog"-dit og "Kære dagbog"-dat.

Jeg gik kun med til det, fordi jeg regner med at blive rig og berømt en dag, og til den tid har jeg nok bedre ting at ta' mig til end at svare på folks åndssvage spørgsmål hele dagen lang. Så bli'r den her bog god at ha'.

Som sagt skal jeg nok blive berømt en dag, men indtil da må jeg finde mig i at gå i folkeskolen sammen med en flok kraftidioter.

Vi er lige begyndt i udskolingen, og lad mig for en god ordens skyld pointere, at udskolingen er det dummeste, der nogensinde er opfundet. Her går sådan nogle som mig, der ikke er begyndt at vokse endnu, sammen med kæmpestore gorillaer, der barberer sig to gange om dagen.

Og så undrer de sig over, at mobning også er er et stort problem i de store klasser.

Hvis det stod til mig, blev man inddelt i klasser efter højde i stedet for efter alder. Men så ville drenge som Chirag Gupta på den anden side stadig gå i første klasse.

I dag er første skoledag, og lige nu venter vi bare på, at læreren bliver færdig med planen for, hvem der sidder hvor, så derfor tænkte jeg, at jeg lige så godt kunne skrive lidt i bogen for at fordrive tiden. For øvrigt har jeg et godt råd til dig. På første skoledag skal man være meget omhyggelig med, hvor man sætter sig. Man spadserer ind i klasselokalet og dumper sine ting på en fuldkommen tilfældig plads, og lige pludselig hører man læreren sige:

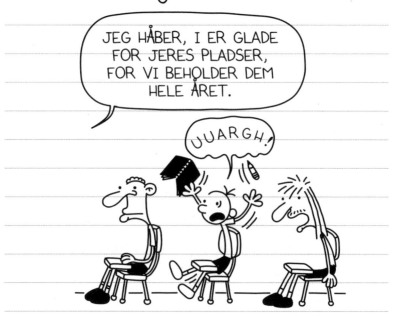

Her i klassen kom jeg til at sidde lige bag Chris Hosey og foran Lionel James.

Jason Brill kom for sent og skulle lige til at sætte sig til højre for mig, men heldigvis fik jeg forhindret det i sidste øjeblik.

Efter frikvarteret burde jeg bare sætte mig midt imellem en masse lækre piger, straks jeg kommer ind. Men hvis jeg gør det, viser det bare, at jeg ikke er blevet ret meget klogere siden sidste år.

Jeg kan godt sige dig, jeg FATTER ikke, hvad der sker for piger lige for tiden. Det var alt sammen meget nemmere på mellemtrinnet. Dér var det altid den i klassen, der kunne løbe hurtigst, der fik alle pigerne. Sådan var det bare. Og i femte var Ronnie McCoy den hurtigste af os alle sammen.

I dag er det meget mere kompliceret. Nu handler det om, hvad for noget tøj man har på, eller hvor rig man er, eller om man har en god røv eller noget i den stil. Og drenge som Ronnie McCoy står og klør sig i nakken og fatter ikke, hvad der er sket.

Den mest populære dreng i klassen er Bryce Anderson. Og det allermest irriterende ved det er, at jeg ALTID har været interesseret i piger, mens sådan nogen som Bryce først er blevet det i løbet af det seneste år eller to.

Jeg kan tydeligt huske, hvordan Bryce var for et par år siden.

Men i dag får jeg selvfølgelig ingenting ud af at have været på pigernes side i alle de år.

Som sagt er Bryce den mest populære på hele skolen, så alle vi andre må slås om de sekundære placeringer.

Så vidt jeg kan regne ud, er jeg nummer 52 eller 53 på listen over de mest populære drenge i år. Men heldigvis rykker jeg snart en plads op, for Charlie Davies ligger foran mig, og i næste uge får han togskinner på tænderne.

Jeg har forsøgt at forklare alt det her popularitetshalløj for min ven Rowley (der i parentes bemærket nok ligger og roder nede omkring nummer 150), men hos ham tror jeg bare, det ryger ind ad det ene øre og ud ad det andet.

Onsdag

I dag havde vi gymnastik, så det første, jeg gjorde, da jeg kom udenfor, var at liste ud på basketballbanen for at se, om Osten stadig var der. Og den var god nok, det var den.

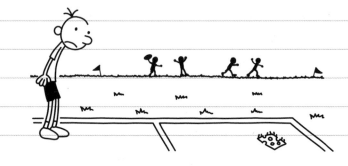

Den osteskive har siddet på asfalten siden
foråret. Sikkert fordi den er drattet af en
ostemad på et eller andet tidspunkt. Efter et par
dage begyndte Osten at mugne og lugte. Ingen
ville spille basketball på banen med Osten, selvom
det var den eneste bane, hvor der var net i
kurven.

Så en dag stak en dreng ved navn Darren Walsh
fingeren ned og rørte ved Osten, og det blev
starten på noget, der hed Ostefnat. Det er
fuldkommen ligesom med almindelig fnat. Hvis man
fik Ostefnatten, hang man på den, indtil man fik
givet den videre til en anden.

Den eneste måde at beskytte sig mod Ostefnatten
på, var ved at krydse fingrene.

Men det kan godt være svært at huske på at rende rundt med krydsede fingre dagen lang. Jeg endte med at klistre mine sammen med tape, så de hele tiden var krydsede. Jeg fik ganske vist 02 i orden, men det var helt klart det værd.

En dreng ved navn Abe Hall fik Ostefnat i april, og resten af året var der ingen, der ville komme i nærheden af ham. Her til sommer flyttede Abe så til Californien og tog Ostefnatten med sig.

Nu håber jeg bare ikke, at nogen begynder på Ostefnat igen, for det er simpelthen alt for stressende.

Torsdag
Jeg har seriøst svært ved at vænne mig til, at sommerferien er forbi, og at jeg skal op om morgenen for at gå i skole.

Min sommer fik ellers ikke den allerbedste start, og det kan jeg takke min storebror, Rodrick, for.

Et par dage efter, at vi havde fået sommerferie, vækkede Rodrick mig midt om natten. Han bildte mig ind, at jeg havde sovet hele sommeren, men at jeg heldigvis var vågnet tids nok til at nå første skoledag.

Du tænker måske, at jeg må være temmelig dum, siden jeg hoppede på den, men Rodrick havde tøj på og en skoletaske på ryggen, og han havde stillet mit vækkeur frem, så det så ud, som om det var morgen. Han havde endda også trukket mine gardiner for, så jeg ikke kunne se, at det stadig var mørkt udenfor.

Da Rodrick havde vækket mig, tog jeg tøj på og gik nedenunder for at spise morgenmad ligesom på en almindelig hverdagsmorgen.

Men jeg har nok larmet temmelig meget, for lige pludselig stod far i køkkenet og skældte mig ud for at sidde og spise Havrefras klokken tre om natten.

Det varede lidt, før jeg regnede ud, hvordan det hang sammen.

Da jeg havde luret det, fortalte jeg far, at Rodrick havde narret mig, og at det var HAM, der burde få skældud.

Far gik ned i kælderen for at give Rodrick det glatte lag, og jeg listede med. Jeg glædede mig helt vildt til at se Rodrick få ørerne i maskinen.

Men Rodrick havde garderet sig ret godt. Faktisk tror jeg stadigvæk, at far er overbevist om, at jeg har en skrue løs.

Fredag

I dag blev vi opdelt i læsegrupper i skolen.

Man får ikke direkte at vide, om man er kommet i den svære gruppe eller den nemme gruppe, men man behøver bare at se på omslaget af de bøger, der bliver delt ud, for at regne det ud.

Jeg blev ret skuffet, da jeg fandt ud af, at jeg var kommet i den svære gruppe, for det betyder bare en masse ekstra knoklearbejde.

Da vi havde nationaltest i slutningen af sidste skoleår, gjorde jeg mig store anstrengelser for at blive rykket over i den nemme gruppe i år.

Mor er gode venner med inspektøren, så hun har garanteret blandet sig og sagt, at jeg skulle i den svære gruppe igen i år.

Mor siger altid, at jeg er en kvik dreng, men at jeg bare ikke "udnytter" mine evner.

Men hvis der er noget, jeg har lært af Rodrick, så er det at sørge for, at folk har så små forventninger, at de bliver glædeligt overraskede over nærmest ingenting.

Faktisk er det helt okay, at min plan om at komme i den nemme gruppe ikke virkede.

Jeg så et par af dem, der læser "Bo siger bøh", vende bogen på hovedet, og jeg tror ikke, det var for sjov.

Lørdag
Nå, så gik den første skoleuge endelig, og i dag sov jeg længe.

De fleste på min alder vågner tidligt om lørdagen for at se tegnefilm i fjernsynet, men ikke mig. Den eneste grund til, at jeg overhovedet står op i weekenden, er at jeg til sidst får så dårlig ånde, at det ikke er til at holde ud.

Desværre vågner far klokken seks om morgenen, UANSET hvilken dag det er, og han har ikke den store forståelse for, at jeg som ethvert andet normalt menneske forsøger at nyde, at det er lørdag.

I dag skulle jeg ikke noget, så jeg gik et smut forbi Rowley.

Teknisk set er Rowley min bedste ven, men der er ingen, der siger, at han bliver ved med at være det.

Lige siden første skoledag har jeg undgået ham, fordi han gjorde noget, der irriterede mig helt vildt meget.

Vi var ved at tage vores ting i skabene efter sidste time, da Rowley kom hen og spurgte:

Jeg har nok fortalt Rowley de første otte millioner gange, at han skal sige "hænge ud" i stedet for "lege". Det andet dur bare ikke i udskolingen. Men uanset hvor mange lammere jeg gi'r ham, glemmer han det altid igen.

Jeg har gjort meget mere ud af at pleje mit image, efter at vi er begyndt i udskolingen. Men det kan godt være svært, når man går sammen med Rowley.

Jeg lærte Rowley at kende for et par år siden, da han flyttede hertil. Han havde fået en bog, der hed "Sådan får du venner, når du flytter" af sin mor, og han kom hjem til mig og ringede på for at prøve den af.

Jeg tror nærmest, jeg fik ondt af Rowley og besluttede at ta' ham under mine vinger.

Det har været fantastisk at have ham i nærheden, især fordi jeg så får lov at lave alle de numre med HAM, som Rodrick laver med MIG.

VIDSTE DU, AT DET ER ET TEGN PÅ UNDERBEGAVELSE, HVIS ENS HÅND ER STØRRE END ENS ANSIGT?
ER DET **RIGTIGT?**
HA! DER FIK JEG DIG!
KLASK!
MEN ER JEG UNDERBEGAVET?
HM ... LAD MIG SE IGEN.

<u>Mandag</u>

Kan du huske, at jeg fortalte, at jeg laver en
masse fis med Rowley? Forstår du, jeg har også en
lillebror, der hedder Manny, og ham ville jeg
ALDRIG slippe godt fra at lave den slags med.

Mor og far beskytter Manny, som om han er en
prins eller noget i den stil. Og han får aldrig
ballade, heller ikke selvom han har fortjent det.

I går tegnede Manny et selvportræt på min dør
med sprittusch. Jeg troede, at nu ville han virkelig
få, men jeg tog som sædvanlig fejl.

Det, der irriterer mig allermest ved Manny, er det kælenavn, han bruger om mig. Da han var lille, kunne han ikke sige "bror", og så begyndte han at kalde mig "Bubber". Og det kalder han mig STADIG, selvom jeg har sagt til mor og far, at de skal bede ham holde op med det. Heldigvis har ingen af mine venner fundet ud af det endnu, men det har været tæt på et par gange, kan jeg godt fortælle dig.

Om morgenen hjælper jeg mor med at gøre Manny klar til børnehave. Når jeg har lavet morgenmad til ham, ta'r han sin portion med ind i stuen og sætter sig på sin potte.

Og når det så bli'r tid til at tage af sted, hælder han bare alt det, han ikke har spist, ned i potten.

Mor brokker sig altid over, at jeg aldrig spiser op om morgenen. Men hun ville nok heller ikke være særlig sulten, hvis hun skulle skrabe cornflakes ud af en potte hver eneste morgen.

Tirsdag

Jeg kan ikke huske, om jeg har sagt det før, men jeg er GENIALT god til computerspil og den slags. Jeg vil vædde på, at jeg kan banke alle på hele min årgang i én mod én.

Desværre er far ikke særlig begejstret for mine evner. Han fabler hele tiden om, at jeg skal ud og "røre mig".

Så da far ville have mig til at gå udenfor og lave noget efter aftensmaden, prøvede jeg at forklare ham, at det gode ved computer og Playstation og den slags var, at man kunne spille fodbold og alle mulige andre boldspil uden overhovedet at komme til at svede.

Men far kunne som sædvanlig ikke se pointen.

Far er sådan set kvik nok, men lige med sådan noget her ved jeg ikke rigtigt, hvad jeg skal tro.

Jeg er sikker på, at far ville skille min spillekonsol ad, hvis han vidste, hvordan man gjorde. Men heldigvis har dem, der laver den, tænkt sig godt om og lavet den med forældresikring.

Hver gang far smider mig ud af huset, for at jeg skal dyrke sport, går jeg bare hjem til Rowley og spiller spil sammen med ham.

Desværre kan jeg kun spille racerspil og den slags hjemme hos ham.

For når jeg kommer med et af mine spil, slår hans far det op på en eller anden speciel hjemmeside for forældre. Og hvis der er bare den MINDSTE smule vold eller slåskamp i spillet, får vi ikke lov til at spille det.

Jeg er ved at være en lille smule træt af at spille Formel 1 med Rowley, for han er ikke en seriøs gamer ligesom mig. Man behøver bare at kalde sin bil et eller andet fjollet, før man går i gang, for at slå ham.

Og når man så overhaler Rowleys bil, går han fuldstændig i opløsning.

Nå, men da jeg var færdig med at tørre gulv med Rowley i dag, tog jeg hjem. Jeg løb et par ture gennem naboens havesprinkler, for at det skulle se ud, som om jeg svedte, og den hoppede far på.

Desværre gav det bagslag, for lige så snart mor
så mig, sagde hun, at jeg skulle gå op i bad.

Onsdag
Far må have været ret så stolt over, at han fik
mig udenfor i går, for han gjorde det samme i dag.

Jeg er ved at være godt træt af, at jeg skal gå
hjem til Rowley, hver gang jeg vil game. Der bor
en temmelig sær dreng ved navn Fregley halvvejs
mellem Rowley og mig. Han er altid ude i sin
forhave, så han er svær at undgå.

I skolen har jeg gymnastik sammen med Fregley, og han har sit helt eget specielle sprog. Hvis han skal på toilettet, siger han for eksempel:

Vi andre har efterhånden regnet Fregley ud, men jeg tror ikke, lærerne er helt med på det endnu.

I dag ville jeg nok være gået hjem til Rowley uanset hvad, for min bror, Rodrick, og hans band øvede nede i kælderen.

Rodricks band er VIRKELIG elendigt, og jeg kan ikke holde ud at være hjemme, når de øver sig.

Navnet på hans band er "Lort i bleen", men på sin varevogn har han stavet det Lört i Blen.

Så kunne man tro, at han har skrevet det sådan, for at det skulle se cool ud, men jeg er sikker på, at Rodrick ville være helt blank, hvis man spurgte ham, hvordan man i virkeligheden stavede til "Lort i bleen".

Far var ikke så glad for, at Rodrick ville starte et band, men mor syntes, det var alle tiders idé.

Det var hende, der gav Rodrick hans første trommesæt.

Jeg tror, at mor har en eller anden idé om, at vi alle sammen skal lære at spille et instrument og begynde at optræde som familieorkester, ligesom man ser i fjernsynet.

Far kan ikke fordrage dødsmetal, og det er sådan noget, Rodrick og hans band spiller. Mor er vist ligeglad, eller også hører hun ikke efter, fordi hun synes, at al musik er ens. Faktisk kom mor ind og gav sig til at danse, da Rodrick spillede en af sine cd'er på anlægget oppe i stuen tidligere i dag.

Det syntes Rodrick ikke var særlig fedt, så han kørte en tur i butikken og kom kort efter hjem med et par hovedtelefoner. Så var det problem ligesom løst.

Torsdag

I går fik Rodrick en ny dødsmetal-cd med et klistermærke udenpå, der advarede om "upassende sprogbrug". Jeg har aldrig hørt en cd med upassende sprogbrug, fordi mor og far aldrig gi'r mig lov til at købe dem nede i centret. Derfor sagde jeg til mig selv, at hvis jeg skulle høre Rodricks cd, var jeg nødt til at smugle den ud af huset.

Så da Rodrick var taget af sted i morges, ringede jeg til Rowley og gav ham besked på at tage sin cd-afspiller med i skole.

Bagefter gik jeg ned på Rodricks værelse og tog cd'en i hans reol.

Man må ikke have musikafspillere med i skole, så vi måtte vente til efter spisefrikvarteret, hvor vi fik lov til at komme udenfor. Lige så snart chancen bød sig, sneg Rowley og mig os om bag skolen og satte cd'en i afspilleren.

Men Rowley havde glemt at sætte batterier i, så det fik vi ikke meget ud af.

Så fandt jeg på alle tiders leg. Man tog ørebøfferne på, og så gjaldt det om at ryste dem af uden at bruge hænderne.

Vinderen var den, der kunne ryste hovedtelefonerne af på kortest mulig tid.

Jeg havde rekorden med syv et halvt sekund, men så fik jeg vist nok også rystet en plombe løs.

Midt i legen drejede fru Craig pludselig om hjørnet og tog os på fersk gerning. Hun tog cd-afspilleren fra mig og gav sig til at skælde ud.

Men jeg tror, hun havde misforstået, hvad vi lavede deromme. Hun gav sig til at prædike om, at rockmusik var "skadeligt" for hjernen. Jeg havde tænkt mig at fortælle hende, at der slet ikke var batterier i cd-afspilleren, men jeg kunne mærke, at hun ikke ville afbrydes. Så jeg ventede bare, indtil hun var færdig, og så sagde jeg: "Javel, frue."

Men netop som fru Craig skulle til at lade os gå, gav Rowley sig til at tudbrøle og sagde, at han ikke havde lyst til at få sin "hjerne" ødelagt af rockmusik.

Helt ærligt, somme tider ved jeg ikke, hvad der sker for den dreng.

Fredag

Så, nu har jeg gjort det.

Da resten af huset var gået i seng i går aftes, listede jeg nedenunder og hørte Rodricks cd på stereoanlægget i stuen.

Jeg tog Rodricks nye ørebøffer på og skruede HELT OP for lyden. Så trykkede jeg på afspillerknappen.

Allerførst vil jeg sige, at jeg godt kan forstå, at de har sat et klistermærke med "Upassende sprogbrug" på cd'en. Men jeg nåede kun at høre cirka 30 sekunder af det første nummer, før jeg blev afbrudt.

Det viste sig, at jeg havde glemt at sætte hovedtelefonerne til forstærkeren. Derfor kom musikken ud af HØJTALERNE i stedet for at spille i hovedtelefonerne.

Far trak mig op på værelset og lukkede døren, og så sagde han:

Når far siger "ven" på den måde, ved man godt, at man har gjort noget forkert. Første gang han sagde "ven" til mig i det tonefald, fattede jeg ikke, at han mente det ironisk. Så jeg var ikke rigtig parat.

Den fejl laver jeg ikke mere.

I aftes råbte far ad mig i ti minutter, før han kom i tanke om, at han hellere ville ligge i sin seng end stå inde på mit værelse kun iført underbukser. Han sagde at jeg ikke måtte spille computerspil i to uger, og det var nogenlunde, hvad jeg havde forventet. Jeg skal nok bare være glad for, at det var det eneste, han gjorde. Det gode ved far er, at når han bliver vred, går det lynhurtigt over igen, og så sker der ikke mere.

Hvis man kvajer sig foran far, kyler han som regel bare det, han sidder med, i hovedet på en.

GODT TIDSPUNKT AT KVAJE SIG PÅ:

DUMT TIDSPUNKT AT KVAJE SIG PÅ:

Mor har en TOTALT anderledes tilgang til det med straf. Hvis mor ta'r en i at gøre noget forkert, bruger hun først et par dage på at udtænke en passende straf.

Og mens man venter, gør man alle mulige ting for at slippe billigt.

Men efter et par dage, lige når man SELV har glemt alt om det, så er det, at hun slår til.

<u>Mandag</u>
Det her med ikke at måtte game er meget
hårdere, end jeg havde regnet med. Men i det
mindste er jeg ikke den eneste i familien, der har
fået ballade.

Rodrick har nemlig fået en ordentlig balle af mor
for nylig. Manny havde fundet et mandeblad nede
på Rodricks værelse med billeder af damer med
bare bryster, og så tog han det med i børnehaven
og viste det til dem alle sammen.

Jeg tror ikke, mor blev særlig glad, da
børnehaven ringede hjem.

Jeg så selv bladet, og det var helt ærligt ikke
noget særligt. Men mor vil ikke have den slags i
huset.

41

Som straf skulle Rodrick svare på en hel masse spørgsmål, som mor skrev til ham.

Har bladet gjort dig til et
bedre menneske?
NEJ.

Har bladet gjort dig mere
populær i skolen?
NEJ.

Hvordan har du det nu med at have
haft sådan et blad?
JEG SKAMMER MIG.

Er der noget, du gerne
vil sige til alle kvinderne,
fordi du har haft sådan
et fornedrende blad?
UNDSKYLD, KVINDER.

<u>Onsdag</u>

Jeg har stadig forbud mod at game, så Manny har spillet på min konsol. Mor har været ude for at købe en masse pædagogiske spil, og det er den rene tortur at se Manny spille dem.

Det gode ved det er, at jeg endelig har fundet ud af, hvordan jeg får listet mine spil forbi Rowleys far: Jeg kommer bare discen til det, jeg gerne vil spille, i omslaget til Mannys "Lær alfabetet".

<u>Torsdag</u>

I dag i skolen sagde de, at der snart skulle være valg til elevrådet. Hvis jeg skal være helt ærlig, har jeg altid været bedøvende ligeglad med elevrådet. Men da jeg begyndte at tænke over det, gik det op for mig, at jeg kunne få en TOTALT anden status på skolen, hvis jeg blev valgt til kasserer.

Og endnu bedre:

Der er aldrig nogen, der tænker på at stille op som kasserer, fordi folk kun går op i de fine poster som fx formand og næstformand. Så hvis jeg skriver mig på listen i morgen, er jeg nærmest så godt som sikker på at få posten som kasserer.

Fredag

I dag skrev jeg mig på listen over kandidater til posten som kasserer. Desværre stiller en, der hedder Marty Porter, også op, og han er superklog til matematik. Så måske bli'r det ikke helt så nemt, som jeg havde regnet med.

Jeg fortalte far, at jeg stillede op til elevrådet, og det blev han ret glad for at høre. Det viser sig, at han også stillede op til elevrådet, da han var på min alder, og at han rent faktisk blev valgt.

Far fandt en af sine gamle valgplakater frem i en af de gamle kasser nede i kælderen.

Jeg tænkte, at det var en ret god idé med plakater, så jeg spurgte far, om han ville køre mig ned til papirforretningen efter forsyninger. Jeg købte karton og tykke tuscher, og resten af aftenen brugte jeg på at lave valgmateriale. Nu må vi bare håbe, at plakaterne virker.

<u>Mandag</u>

Jeg tog plakaterne med i skole i dag, og jeg må
sige, at de gjorde sig ret godt.

Jeg gav mig til at hænge plakater op, så snart jeg var ankommet. Men de fik kun lov til at hænge i cirka tre minutter, før viceinspektør Roy fik øje på dem.

Hr. Roy sagde, at det var forbudt at finde på "urigtigheder" om de andre kandidater. Så sagde jeg til ham, at det med lusene var rigtigt nok, og at skolen nærmest havde været lige ved at lukke, dengang det skete.

Men han pillede alligevel alle mine plakater ned. Og i dag gik Marty Porter så rundt og delte slikkepinde ud for at fiske stemmer, mens mine plakater lå på bunden af hr. Roys papirkurv. Så nu ser det ud til, at min politiske karriere officielt er et overstået kapitel.

OKTOBER

Mandag

Nu er det endelig blevet oktober, og der er kun 30 dage til halloween. Halloween er min YNDLINGSDAG, selvom mor siger, at jeg er ved at blive for gammel til at gå ud og rasle.

Halloween er også fars yndlingsdag, men af en helt anden grund. Om aftenen, når andre forældre deler slik ud, gemmer far sig bag buskene med en stor affaldsspand fuld af vand.

Og hvis der kommer teenagere forbi vores indkørsel, pjasker han dem til.

JAHHHH!

Jeg er ikke sikker på, at far helt har forstået, hvad halloween går ud på. Men jeg har ikke tænkt mig at spolere glæden for ham.

I aftes åbnede gymnasiets spøgelseshus, og mor havde lovet at køre Rowley og mig derned.

Da Rowley ringede på, var han iført sit halloweenkostume fra sidste år. Jeg havde sagt til ham i telefonen, at han bare skulle have almindeligt tøj på, men det havde han selvfølgelig ikke fattet.

Jeg forsøgte ikke at blive alt for irriteret over det. Det er første gang, jeg får lov til at tage hen i gymnasiets spøgelseshus, og den fornøjelse skulle Rowley ikke ødelægge for mig. Rodrick har fortalt mig en masse om det, og jeg har glædet mig til det i flere år. Men allerede ude foran indgangen begyndte jeg at få kolde fødder.

Mor virkede imidlertid, som om hun ville have det overstået hurtigst muligt, så der var ikke noget med at stå og tøve. Da vi først var kommet indenfor, fik vi det ene chok efter det andet. Der var folk uden hoved, og man blev angrebet af vampyrer og alt muligt uhyggeligt.

Men det værste var alligevel det sted, der hed Motorsavsparken. Der var en kæmpestor fyr iført ishockeymaske, og han havde en RIGTIG motorsav. Rodrick sagde, at motorsavens kæde var lavet af gummi, men jeg skulle ikke nyde noget.

RRRRRRRRRRRRRR!

Lige da det så ud, som om ham med motorsaven fik fat på os, kom mor til undsætning.

DET ER IKKE PÆNT GJORT!

UNDSKYLD, FRUE!

Mor fik motorsavsfyren til at vise os udgangen, og så var det slut med vores besøg i spøgelseshuset. Det kan godt være, at det var lidt pinligt, det mor gjorde, men lad gå for denne gang.

Lørdag

Jeg har virkelig tænkt over tingene efter mit besøg i gymnasiets spøgelseshus. De tog fem dollars i entré, og der var kø langt ud på gaden.

Jeg bestemte mig for at lave mit eget spøgelseshus. Faktisk var jeg nødt til at få Rowley med på idéen, fordi mor ikke ville give mig lov til at lave hele stueetagen om til spøgelseshus.

Jeg vidste, at Rowleys far heller ikke ville blive super begejstret for idéen, så Rowley og mig blev enige om at lave spøgelseshuset i hans kælder uden at sige det til hans forældre.

Rowley og mig brugte næsten en hel dag på at finde på det vildeste spøgelseshus, man kan forestille sig.

Vores færdige arbejdstegning så sådan her ud:

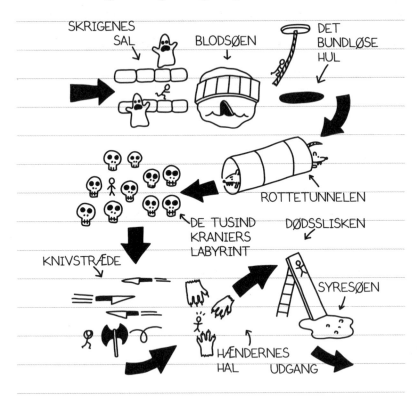

Det er ikke for at blære mig eller noget, men det, vi havde fundet på, var LANGT bedre end gymnasiets spøgelseshus.

Vi fandt hurtigt ud af, at vi var nødt til at sprede budskabet, hvis vi skulle have kunder i butikken, så vi gik i gang med papir og blyant og lavede en masse brochurer.

Jeg vil godt indrømme, at vi måske smurte lidt tykt på i vores reklamemateriale, men vi ville bare være sikre på, at der nu også kom nogen.

SP💀GELSES

HUS

AV!

MED **ÆGTE** HAJER!

SURREY STREET 32
ENTRÉ: 50 CENTS
KLOKKEN 15.00

Da vi var færdige med at hænge brochurer op i kvarteret og nåede hjem i Rowleys kælder, var klokken allerede 14.30, og vi var ikke engang gået i gang med at bygge vores spøgelseshus.

Derfor blev vi nødt til at skyde et par genveje i forhold til vores oprindelige plan.

Da klokken blev tre, kiggede vi ud for at se, om der var kommet nogen. Og den var god nok, der stod omkring tyve rollinger fra kvarteret i kø uden for Rowleys kælder.

Jeg ved godt, at der stod i brochuren, at det kostede 50 cents at komme ind, men jeg kunne se, at vi havde chancen for virkelig at score kassen. Derfor sagde jeg til rollingerne, at det kostede to dollars, og at det med de 50 cents bare var en trykfejl.

Den første, der hostede op med to dollars, var en unge, der hedder Shane Snella. Han betalte, vi lukkede ham ind, og så tog Rowley og mig opstilling i Skrigenes Sal.

Skrigenes Sal var mere eller mindre en seng med
Rowley og mig for hver sin ende.

Det kan godt være, at vi kom til at gøre
Skrigenes Sal lidt for uhyggelig, for på et
tidspunkt rullede Shane sig sammen til en kugle
under sengen. Vi prøvede at få ham til at kravle
ud, men det ville han ikke. Jeg kunne ikke lade
være med at tænke på de penge, vi gik glip af,
fordi Shane lå dér og lavede flaskehals i Skrigenes
Sal, og jeg vidste, at det gjaldt om at få ham ud
i en fart.

Efter et stykke tid kom Rowleys far ned i kælderen.
Først blev jeg glad, fordi jeg tænkte, at han kunne
hjælpe os med at slæbe Shane ud fra sengen, så vi
kunne få gang i vores spøgelseshus igen.

Men Rowleys far var nu ikke specielt hjælpsom.

Han ville vide, hvad vi lavede, og hvorfor Shane Snella havde gemt sig under sengen.

Vi fortalte ham, at kælderen var et spøgelseshus, og at Shane Snella rent faktisk havde BETALT os for at gøre ham bange. Men det troede Rowleys far ikke på.

Jeg må indrømme, at det ikke rigtigt lignede et spøgelseshus, hvis man så sig omkring. Det eneste, vi havde nået at stille op, var Skrigenes Sal og Blodsøen, der bare var Rowleys gamle soppebassin med en halv flaske ketchup i.

Jeg prøvede at vise Rowleys far vores oprindelige tegning, så han kunne se, at vi havde gang i en helt regulær forretning, men han blev vist ikke overbevist.

Og for at gøre en lang historie kort, så var det slut med spøgelseshus for denne gang.

Men fordi Rowleys far ikke troede på os, fik han os heller ikke til at give Shane pengene igen. Så der kom da to dollars ind på kontoen i dag.

<u>Søndag</u>

Det endte med, at Rowley fik stuearrest på grund af det med spøgelseshuset i går. Han må ikke se tv i en uge OG ikke ha' mig på besøg hele ugen.

Det sidste er uretfærdigt, for det går jo ud over mig, og jeg har ikke engang gjort noget. Og hvordan har han nu tænkt sig, jeg skal game?

Faktisk fik jeg lidt ondt af Rowley. Så i aftes forsøgte jeg at gøre noget godt for ham. Jeg satte mig til at se en af Rowleys yndlingsserier i fjernsynet og viderefortalte afsnittet scene for scene i telefonen, så han på den måde kunne få en følelse af, at han næsten havde set det.

Jeg gjorde, hvad jeg kunne for holde mig på omgangshøjde med det, der skete på skærmen, men hvis jeg skal være helt ærlig, er jeg ikke sikker på, at Rowley fik fuldt udbytte af forestillingen.

Tirsdag

I dag har Rowley endelig overstået sin stuearrest, og så passer det endda med, at det er halloween. Jeg besøgte ham for at se hans udklædning, og jeg må indrømme, at jeg er en lille smule misundelig. Rowleys mor har købt et ridderkostume til ham, der er 1000 gange mere cool end det kostume, han havde sidste år.

Ridderkostumet har hjelm og skjold og et rigtigt sværd og DET HELE.

Jeg har aldrig haft et færdigkøbt kostume. Jeg har heller ikke fundet ud af, hvad jeg skal være i morgen aften, så det ender nok bare med, at jeg finder på noget i sidste øjeblik. Måske vælger jeg at være toiletpapirsmumie igen i år.

Men der er vist noget med, at det bli'r regnvejr i morgen aften, så det er måske ikke den allermest begavede idé.

De seneste par år er de voksne i kvarteret begyndt at brokke sig over mine tyndbenede udklædninger, og jeg er efterhånden begyndt at tro, at det rent faktisk betyder noget for, hvor meget slik jeg skovler ind.

Men jeg har bare ikke rigtigt tid til at finde på en god udklædning, fordi jeg har travlt med at planlægge den mest indbringende rute for Rowley og mig i morgen aften.

I år har jeg fundet på en plan, der vil give os mindst dobbelt så meget slik som sidste år.

Halloween

Da der kun var en time til, at vi skulle ud og rasle, havde jeg stadig ikke fundet på en udklædning. På det tidspunkt overvejede jeg seriøst at være cowboy for andet år i træk.

Men så bankede mor på døren til mit værelse og gav mig et sørøverkostume med klap for øjet og krog og det hele.

Klokken 18.30 kom Rowley i sit ridderkostume, men det så OVERHOVEDET ikke ud som i går.

Rowleys mor havde ødelagt det med en hel masse sikkerhedsindgreb, så man ikke længere kunne se, hvad han skulle forestille.

Hun havde skåret et stort hul foran i hjelmen, så han bedre kunne se ud, og hun havde plasket ham til med refleks-klisterbånd. Hun havde også givet ham en stor vinterjakke på indenunder og et knæklys i stedet for det sværd, der hørte med til kostumet.

Jeg hentede mit pudebetræk, og Rowley og mig gjorde klar til at gå. Men mor standsede os, før vi nåede ud.

I SKAL TAGE MANNY MED!

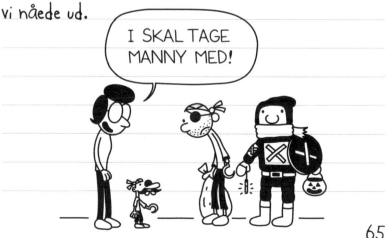

Typisk! Jeg kunne have sagt mig selv, at der var noget lusket, da mor gav mig det kostume.

Jeg sagde til hende, at det var fuldkommen UDELUKKET at tage Manny med, fordi vi skulle nå 152 huse på tre timer. Og også fordi vi skulle ud på Snovejen, der var alt for farlig for en lille unge som Manny.

Det sidste skulle jeg aldrig have sagt, for straks gav mor far besked på at gå med os, så han kunne passe på, at vi ikke gik længere væk, end vi måtte. Far forsøgte at krybe udenom, men når mor først har besluttet sig, er der ikke noget at gøre.

Vi var ikke engang nået ud af vores egen
indkørsel, før vi mødte vores nabo, hr. Mitchell,
og hans lille dreng, Jeremy. Og nu skulle DE
selvfølgelig også lige pludselig med.

Manny og Jeremy ville ikke ringe på, hvis der var
uhyggelig udsmykning på døren eller i vinduet, og
det udelukkede så godt som alle husene på vores vej.
Far og hr. Mitchell begyndte at snakke om
fodbold, og hver gang de skulle sige noget, de
syntes var vigtigt, blev de af en eller anden grund
nødt til at stå stille.

I det tempo nåede vi et hus cirka hvert tyvende
minut.

Efter et par timer gik far og hr. Mitchell endelig hjem med de små.

Det var jeg glad for, for så kunne Rowley og mig endelig komme i gang. Mit pudebetræk var næsten tomt, og jeg ville gerne indhente så meget som muligt.

Kort efter sagde Rowley, at han havde brug for en lille "pottepause". Jeg fik ham til at holde sig i tre kvarter. Men da vi nåede til min farmors hus, kunne jeg godt se, at det ville blive noget værre griseri, hvis Rowley ikke lynhurtigt fik lov til at låne et toilet. Derfor sagde jeg til ham, at han skulle være ude igen om ét minut, ellers gik jeg i gang med at spise hans slik.

Bagefter gik vi ud på vejen igen. Men klokken var allerede 22.30, og det er åbenbart omkring det tidspunkt, at de fleste voksne mener, at halloween er forbi. Det kan man nærmest regne ud, når de åbner døren i nattøj og stirrer ondt på en.

Vi blev enige om at gå hjem. Vi havde haft fuld fart på, efter at far og Manny var gået, så jeg var okay tilfreds med slikudbyttet i posen.

Da vi var halvvejs hjemme, kom en pickup med en flok gymnasieelever drønende ned ad vejen.

Ham oppe på ladet havde en skumslukker, som han
fyrede af, da bilen kørte forbi os.

Respekt til Rowley, for han blokerede for omkring
95 % af skummet med sit skjold. Og hvis han ikke
havde gjort det, havde alt vores slik været
gennemblødt.

Da bilen drønede videre, råbte jeg noget, som jeg
fortrød to sekunder senere.

Chaufføren jokkede på bremsen og vendte bilen.
Rowley og mig begyndte at spæne, men de var lige
i hælene på os. Det eneste sikre sted, jeg kunne
komme i tanke om, var farmors hus, så vi løb
gennem et par haver for at komme hjem til hende.
Farmor var allerede gået i seng, men jeg vidste, at
hun gemte en ekstranøgle under måtten foran
hoveddøren.

Da vi var kommet indenfor, kiggede jeg ud ad
vinduet for at se, om de var fulgt efter os, og det
var de selvfølgelig. Jeg forsøgte at narre dem, så
de kørte igen, men det virkede ikke.

71

Efter et stykke tid indså vi, at de havde tænkt sig at blive holdende, indtil vi kom ud, så vi blev enige om, at vi bare måtte sove hos farmor. Så var det, at vi begyndte at blive overmodige og lave abelyde og alt muligt til de store drenge udenfor.

Jeg ringede til mor for at fortælle, at vi overnattede hos farmor. Men mor lød virkelig sur i telefonen.

Hun sagde, at vi skulle i skole i morgen, og at vi havde værsgo at komme hjem omgående. Så var der ikke andet at gøre end at lave et flugtforsøg.

Jeg kiggede ud ad vinduet, og nu kunne jeg ikke
få øje på bilen. Men jeg vidste, at det bare var et
forsøg på at lokke os ud, og at de lå på lur et
sted derude.

Derfor listede vi ud ad bryggersdøren, kravlede
over farmors stakit og løb hele vejen over til
Snovejen. Jeg tænkte, at dér havde vi større
chance for at slippe væk, fordi der ikke er nogen
gadelygter. Snovejen er uhyggelig nok i forvejen
uden en bilfuld sure teenagere i hælene. Hver gang
en bil nærmede sig, sprang vi på hovedet ind i
buskene. Jeg tror, det tog os en halv time at gå
100 meter.

Men tro det eller ej, vi nåede hele vejen hjem uden at blive taget. Ingen af os slappede af og sænkede paraderne, før vi stod i min indkørsel.

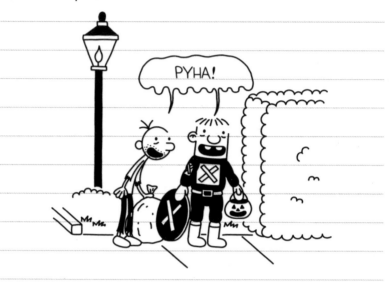

Men i samme øjeblik hørte vi et grufuldt skrig og så en kæmpe vandbølge komme flyvende.

Mand, jeg havde glemt ALT om far, og det kom
til at koste.

Da Rowley og mig kom indenfor, hældte vi alt
vores slik ud på køkkenbordet.

Det eneste, der stod til at redde, var et par
pebermyntepastiller, fordi de var pakket ind i
cellofan, og så de tandbørster, vi havde fået af
dr. Garrison.

Til næste halloween tror jeg bare, jeg bli'r hjemme
og nasser småkager fra den skål, som mor har
stående oven på køleskabet.

NOVEMBER

Torsdag

På bussen til skole i morges kom vi forbi farmors hus. Det var blevet viklet ind i toiletpapir i går aftes, og det kom ikke som den store overraskelse.

Jeg fik det lidt dårligt over det, fordi det lignede noget, det ville tage lang tid at rydde op. Men på den anden side er farmor pensionist, så hun skulle nok ikke andet i dag alligevel.

Onsdag

I tredje time fortalte vores gymnastiklærer, hr. Underwood, at drengene skulle have brydning de næste seks uger.

Hvis der er noget, som rigtig mange drenge på skolen går op i, så er det fribrydning. Så hr. Underwood kunne lige så godt have smidt en bombe.

Vi har spisefrikvarter lige efter gymnastik, og kantinen var det rene galehus.

Jeg ved ikke, hvad skolen tænker på, når de sådan sætter brydning på skemaet.

Men jeg blev enig med mig selv om, at jeg hellere måtte sætte mig ind i det her brydehalløj, hvis jeg vil undgå at blive krøllet sammen som en papirclips den næste halvanden måned.

Derfor lejede jeg et par spil for at lære de forskellige greb. Og ved du hvad? Efter et stykke tid begyndte jeg virkelig at få styr på det.

Faktisk skal de andre drenge i klassen passe på, for hvis jeg bli'r ved på den her måde, kan jeg godt gå hen og blive rigtig farlig.

På den anden side skal jeg også passe på, at jeg ikke bliver ALT for god. Der var en dreng ved navn Victor Sebret, der blev udnævnt til månedens sportsstjerne, fordi han var den bedste på basketballholdet, og så blev der hængt et billede af ham op på gangen.

Det tog folk rundt regnet fem sekunder at finde ud af, hvordan "V. Sebret lød, når man sagde det højt, og så var det slut for Victor.

Torsdag

Øv, i dag fandt jeg ud af, at den type brydning, som hr. Underwood underviser i, er FULDKOMMEN anderledes end den, man kan se i fjernsynet.

For det første skal vi gå i noget, der hedder en "trikot" og ligner en badedragt fra 1800-hvidkål.

Og for det andet er der ikke noget med at løbe hovedet ind i maven på sin modstander eller slå folk oven i hovedet med stole eller den slags.

Der er ikke engang en ring med reb rundt om. Det er nærmest bare en stor svedmåtte, der lugter, som om den aldrig har været vasket.

Hr. Underwood begyndte med at spørge, om der var nogen frivillige, så han kunne demonstrere de forskellige greb, men jeg skulle ikke nyde noget.

Rowley og mig forsøgte at gemme os ved gardinet allerbagerst i vores halvdel af gymnastiksalen, men det var dér, pigerne havde gymnastik.

Vi skyndte os tilbage igen og stillede os sammen med resten af drengene.

Hr. Underwood valgte mig, sikkert fordi jeg er den letteste dreng i klassen, og han ville kunne kaste rundt med mig uden at anstrenge sig alt for meget. Han viste resten af klassen, hvordan man laver noget, der hedder en "halv nelson" og en "oprulning" og et "fald" og alt sådan noget.

Da han viste et greb, der hedder "brandmandstag", mærkede jeg pludselig et friskt luftpust forneden, og så vidste jeg, at min trikot ikke dækkede, som den skulle. Pyha! Så var det, at jeg takkede skæbnen for, at pigerne var omme på den anden side af gardinet i gymnastiksalen.

Hr. Underwood opdelte os i forskellige vægtklasser. I første omgang syntes jeg, det lød som en god idé, for så slap jeg for at skulle bryde mod drenge som Benny Wells, der kan klare over 100 kilo i bænkpres.

Men da jeg så, hvem jeg SÅ SKULLE bryde mod,
ville jeg til hver en tid hellere have haft Benny Wells.

Fregley var den eneste anden dreng, der var let
nok til at være i samme vægtklasse som mig. Og
Fregley hørte åbenbart efter, når hr. Underwood
instruerede, for han fik mig i gulvet på 117
forskellige måder. I en hel time kom jeg MEGET
tættere på Fregley, end jeg havde lyst til.

Tirsdag

Det er, som om skolen er gået helt amok, efter at vi har fået brydning i gymnastik. Nu er der brydekampe på gangene og i klasseværelserne og over det hele. Men den sidste halvdel af spisefrikvarteret, hvor vi er ude i skolegården, er alligevel det værste.

Man kan ikke gå to meter uden at skvatte over nogen, der ligger og roder rundt på jorden. Jeg forsøger bare at holde mig langt væk. For jeg er stensikker på, at der lige pludselig er nogen, der ruller hen over osteskiven, og så begynder Ostefnatten forfra.

Mit andet store problem er, at jeg skal bryde mod
Fregley hver dag. Men i morges kom jeg lige
pludselig i tanke om noget. Jeg skal bare rykke ud
af Fregleys vægtklasse, så slipper jeg for at
kæmpe mod ham.

Derfor proppede jeg i dag en hel masse sokker og
T-shirts i tøjet for at rykke op i en højere
vægtklasse.

Men jeg var stadig ikke tung nok til at rykke op.

Jeg fandt ud af, at jeg var nødt til at tage
nogle kilo på i virkeligheden. Først tænkte jeg,
at jeg bare skulle proppe mig med slik og junkfood,
men så fik jeg en meget bedre idé.

Jeg besluttede mig for at få større MUSKLER i stedet for bare at blive fed.

Jeg er aldrig gået op i at træne, men al den her brydning i gymnastik har fået mig på andre tanker.

For hvis jeg får nogle flere muller nu, kan det sikkert bruges til noget senere hen.

Vi skal spille amerikansk fodbold til foråret, hvor vi bliver delt op i dem med trøjer og dem med bar mave. Og jeg kommer ALTID på holdet med bar mave.

Jeg tror, det er noget, de gør for at give alle dem, der ikke er i form, dårlig samvittighed.

Hvis jeg kan få nogle ordentlige bøffer nu, kommer det til at se helt anderledes ud til april.

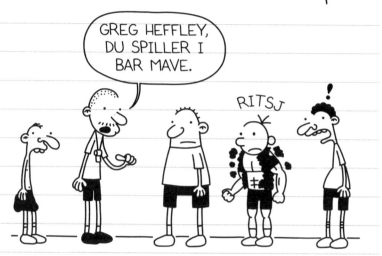

Efter aftensmaden derhjemme indviede jeg mor og far i min plan. Jeg sagde, at jeg fik brug for noget ordentligt vægttræningsudstyr og sikkert også noget proteinpulver. Jeg viste dem også nogle bodybuilderblade, jeg havde købt i kiosken, så de kunne se, hvor totalt trimmet jeg skulle være.

Mor sagde ikke rigtig noget til at begynde med, men far virkede ret så begejstret. Han var sikkert bare glad for, at jeg ikke længere tænkte det samme, som da jeg var lille:

Men mor sagde, at hvis jeg ville have håndvægte, måtte jeg først vise, at jeg kunne finde ud af at følge et træningsprogram. Hun sagde, at det kunne jeg gøre ved at lave mavebøjninger og sprællemænd i to uger.

Så måtte jeg forklare hende, at man kun blev pumpet på den rigtige måde, hvis man havde samme slags topmoderne maskiner som i fitnesscentret, men det gad mor ikke høre på.

Så sagde far, at hvis jeg gerne ville have en vægttræningsbænk, kunne jeg ønske mig en til jul.

Men der er halvanden måned til jul. Og hvis jeg bliver lagt ned af Fregley én gang til, får jeg et nervesammenbrud.

Så det lader ikke til, at der er nogen hjælp at hente hos mor og far. Og derfor må jeg som sædvanlig selv gøre noget ved tingene.

Lørdag
Da jeg vågnede i morges, var jeg super ivrig efter at komme i gang med mit vægttræningsprogram. Jeg havde ikke tænkt mig at opgive min plan, bare fordi mor ikke ville lade mig få det rigtige udstyr.

Jeg gik i køleskabet og hældte mælken og juicen ud og fyldte de to store kartoner med sand. Så tapede jeg dem fast på et kosteskaft, og vupti havde jeg mig en helt fin vægtstang.

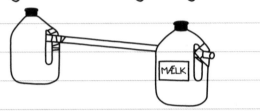

Bagefter lavede jeg en bænk af et strygebræt og nogle kasser. Da det var på plads, var jeg klar til at gå i gang med noget seriøs vægttræning.

Jeg havde brug for en hjælper, så jeg ringede til Rowley. Men da han kort efter dukkede op hjemme hos mig iført noget totalt latterligt kluns, vidste jeg, at jeg aldrig skulle have inviteret ham.

Jeg fik Rowley til at træne først, mest fordi jeg ville være sikker på, at kosteskaftet ikke knækkede.

Han lavede omkring fem gentagelser, og så var han klar til at holde op igen, men det fik han ikke lov til. Det er derfor, man har en træningsmakker, for at han kan presse dig til dit yderste – og lidt til.

Jeg vidste, at Rowley ikke ville gå lige så meget op i vægttræningen som mig. Derfor opfandt jeg et eksperiment for at afprøve hans kampvilje.

Midt i Rowleys sæt hentede jeg en falsk næse med overskæg, som Rodrick gemmer i en rodeskuffe inde på værelset.

Og næste gang Rowley havde vægtstangen nede på brystet, lænede jeg mig ind over ham og så ned på ham.

Og ganske rigtigt, Rowley tabte FULDSTÆNDIG koncentrationen. Han kunne ikke engang løfte vægtstangen fra brystet. Jeg overvejede at hjælpe ham, men så blev jeg enig med mig selv om, at Rowley aldrig ville komme op på mit niveau, medmindre han begyndte at tage sin vægttræning alvorligt.

Til sidst måtte jeg redde ham, da han begyndte at bide i mælkekartonen så sandet kunne løbe ud.

Da Rowley endelig var færdig på bænken, var det min tur. Men Rowley sagde, at han ikke havde lyst til at træne mere, og så gik han hjem.

Typisk, jeg tænkte nok, han ville lave sådan et nummer. Men okay, man kan nok ikke forvente, at alle skal gå lige så meget op i det som en selv.

Onsdag
I dag havde vi prøve i geografi, og jeg må sige, at det var noget, jeg havde set frem til i flere dage. Prøven handlede om hovedstæderne i de amerikanske stater, og jeg sidder nede bagerst i klasseværelset lige ved siden af et kæmpestort kort over USA. Alle hovedstæderne står skrevet med store røde bogstaver på det, så jeg vidste, at det her var en gratis omgang.

Men lige før prøven skulle til at begynde, skvadrede Patty Farrell op på næstforreste række.

Patty sagde til hr. Ira, at han skulle sætte noget over USA-kortet, før vi gik i gang.

Så takket være Patty endte jeg med at dumpe prøven. Og det skal hun helt sikkert få betalt på en eller anden måde.

Torsdag

I aftes kom mor op på mit værelse med en brochure i hånden. Og så snart jeg så den, vidste jeg PRÆCIS, hvad det gik ud på.

Det var en informationsfolder om, at der snart skulle afholdes prøver til skolekomedien. Mand, jeg vidste, jeg skule have smidt den ud, da jeg så den ligge og flyde på køkkenbordet.

Jeg TRYGLEDE hende om at få lov til ikke at melde mig. Skolekomedien er altid en musical, og det sidste, jeg har brug for, er at skulle synge solo for hele skolen.

Men det var, som om mine bønner bare gjorde mor endnu mere overbevist om, at det var en god idé.

Hun sagde, at den eneste måde rigtigt at lære sig selv at kende på, var ved at prøve forskellige ting.

Far kom ind på mit værelse for at se, hvad der foregik. Jeg sagde til ham, at mor ville tvinge mig til at melde mig til skolekomedien, og at det ville smadre min styrketræning fuldstændigt, hvis jeg pludselig skulle til at gå til prøve hver dag.

Jeg vidste, at det ville få far over på min side. Far og mor diskuterede i et par minutter, men far kan slet ikke hamle op med mor.

Derfor skal jeg til optagelsesprøve til skolekomedien i morgen.

Fredag

I år skal skolen opføre det stykke, der hedder "Troldmanden fra Oz". Mange af dem, der mødte op, var klædt ud som den rolle, de skulle aflægge prøve til.

Jeg har aldrig set filmen, så for mig var det ligesom at være med i et mærkeligt karneval.

Musiklæreren, fru Norton, fik alle til at synge nationalsangen, for at hun kunne høre vores sangstemmer. Jeg gik til prøve sammen med en hel masse andre drenge, der også var blevet tvunget af deres mor til at komme. Jeg prøvede at synge så lydløst som muligt, men hun udvalgte mig selvfølgelig alligevel.

HVILKEN SMUK SOPRAN!

Jeg aner ikke, hvad en "sopran" er for noget, men sådan som pigerne begyndte at grine, kan det umuligt være noget godt.

Prøverne fortsatte i én uendelighed. Den store finale var, da rollen som Dorothy skulle besættes. Jeg gætter på, at hun er hovedpersonen i stykket. Og hvem andre end Patty Farrell skulle aflægge prøve som den første?

Jeg overvejede at forsøge at få rollen som heks, fordi jeg har hørt, at heksen gør alle mulige lede ting ved Dorothy i stykket.

Men så fik jeg at vide, at der både er en god heks og en ond heks, og så uheldig som jeg er, ville jeg bare ende med at få rollen som den gode.

<u>Mandag</u>

Jeg havde håbet, at fru Norton bare ville stryge
mig af listen, men i dag fortalte hun, at der var
en rolle til alle, der havde været til optagelses-
prøve. Jubii, hvor er jeg bare heldig. Fru Norton
viste os "Troldmanden fra Oz" som film, så alle kunne
lære historien. Jeg prøvede at beslutte mig for,
hvilken rolle jeg skulle vælge, men stort set samtlige
medvirkende skal på et eller andet tidspunkt synge
eller danse. Men cirka halvvejs igennem filmen fandt
jeg alligevel ud af, hvilken rolle jeg skal gå efter.
Jeg vil gå efter at få rollen som et træ, fordi 1) de
slipper for at synge, og 2) de får lov til at
bombardere Dorothy med æbler.

At få lov til at kyle æbler i hovedet på Patty Farrell foran et rigtigt publikum ville være en drøm, der gik i opfyldelse. Når det hele er forbi, ender det måske endda med, at jeg skal sige tak til mor, fordi hun tvang mig til at være med i stykket. Da filmen var slut, skrev jeg mig op til at være træ. Desværre havde en masse andre fået samme idé, så der må være virkelig mange, der har en høne at plukke med Patty Farrell.

Onsdag

Nå, som mor altid siger, så skal man passe på, hvad man ønsker sig. Jeg blev valgt til rollen som træ, men måske er det ikke helt så genialt, som jeg troede. Der er nemlig ikke huller til armene i trækostumerne, så æblebombardering bli'r der ikke noget af.

Måske skal jeg bare være glad for, at jeg
overhovedet fik en rolle med replikker. Der var
flere børn til optagelsesprøve, end der var roller,
så de har været nødt til at opfinde nye figurer.
Rodney James aflagde prøve til rollen som tinmanden,
men endte med at blive en busk.

Fredag

Kan du huske, at jeg sagde, at jeg skulle være
glad for, at jeg overhovedet havde fået en rolle
med replikker? Okay, men i dag fandt jeg ud af,
at jeg kun har én replik i hele stykket. Jeg siger
den, når Dorothy plukker et æble på min gren.

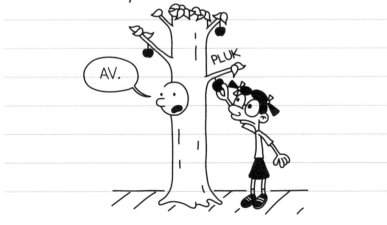

Det vil sige, at jeg skal øve to timer hver eneste dag for at sige ét åndssvagt ord.

Jeg er begyndt at tro, at Rodney James har regnet det bedre ud som busk. Han har lusket et spil med ind i kostumet, så for ham går tiden nok pænt hurtigt.

Nu prøver jeg så at finde ud af, hvordan jeg får fru Norton til at smide mig ud af stykket. Men når man kun skal sige ét ord, er det virkelig svært at rode rundt i sine replikker.

DECEMBER

Torsdag

Nu er der kun et par dage til premieren, og jeg aner ikke, hvordan det nogensinde skal komme til at gå.

For det første er der ingen, der har gidet at lære deres replikker, og det er udelukkende fru Nortons skyld.

Når vi øver, står fru Norton nemlig alligevel ude i siden og hvisker alle replikkerne til dem oppe på scenen.

Jeg gad nok vide, hvordan det kommer til at gå på næste tirsdag, når fru Norton sidder ved sit klaver ti meter væk.

Noget andet, der heller ikke ligefrem gør det nemmere, er, at fru Norton hele tiden opfinder nye scener og nye personer.

I går kom hun med en lille førsteklasseunge, der skulle spille Dorothys hund, Toto. Men i dag kom ungens mor ind og sagde, at hendes barn skulle gå rundt på to ben, fordi det var "nedværdigende" at kravle rundt på alle fire.

Nu har vi så en hund, der går rundt på bagbenene i hele stykket.

Men det værste af det hele er, at fru Norton har skrevet en sang, som vi TRÆER skal synge. Hun siger, at alle os medvirkende "fortjener" at få lov til at synge.

I dag brugte vi så en time på at lære den værste sang, der nogensinde er skrevet.

♫ VI TRE TRÆER ... ♫

Gudskelov kommer Rodrick ikke til at sidde nede blandt publikum, når jeg gør mig selv til grin. Fru Norton har sagt, at stykket skal være "galla", og jeg ved, at Rodrick aldrig kunne drømme om at tage slips på til en skolekomedie. Men der er ikke kun sket dårlige ting i dag. Da vi var ved at være færdige med øvetimen, snublede Archie Kelly over Rodney James og slog en flis af tanden, fordi han ikke kunne tage fra med armene, da han faldt.

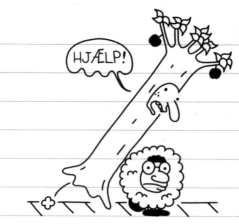

Så den gode nyhed er, at vi til premieren får
lov til at skære huller til armene i træerne.

Tirsdag

I aftes var der premiere på skoleopsætningen af
"Troldmanden fra Oz." Det første praj om, at det
ikke ville blive nogen stor succes, fik jeg, før stykket
overhovedet gik i gang.

Jeg kiggede ud i salen
for at se, hvor mange
tilskuere der var kommet,
og hvem tror du stod
helt oppe foran? Min
storebror Rodrick med
elastikslips på.

Han må have fundet ud af, at jeg skulle synge, og så har han ikke kunnet modstå fristelsen til at se mig gøre mig selv til grin.

Det var meningen, at stykket skulle begynde klokken 20.00, men det blev forsinket, fordi Rodney James fik sceneskræk. Man skulle tro, at en, der ikke skulle andet end at sidde på scenen uden at gøre noget, kunne bide det i sig i én sølle forestilling. Men Rodney var uden for rækkevidde, og til sidst måtte hans mor komme og hente ham.

Endelig omkring klokken 20.30 kom stykket i gang. Ingen kunne huske deres replikker, sådan som jeg havde forudsagt, men fru Norton spillede flittigt på klaveret og holdt tingene i gang på den måde.

Ungen, der spillede Toto, havde en skammel og en stak tegneserier med op på scenen, og det ødelagde fuldstændig hele "hunde"-effekten.

Da det blev tid til skovscenen, hoppede mig og de andre træer på plads. Tæppet gik op, og i det samme hørte jeg Mannys stemme klart og tydeligt:

Hurra. I fem år har jeg præsteret at holde mit kælenavn hemmeligt, og nu kender hele byen det pludselig. Jeg kunne mærke noget med 300 par øjne, der gloede på mig.

Derfor lavede jeg en lynhurtig improvisation og fik kørt flovmanden over på Archie Kelly.

Men det skulle blive endnu flovere. Da jeg hørte fru Norton spille de første strofer af "Vi tre træer", mærkede jeg en knude i maven.

Jeg så ud på publikum og kunne ikke undgå at se, at Rodrick sad klar med et videokamera.

Jeg vidste, at hvis jeg sang den sang, og Rodrick filmede det, ville han gemme optagelsen for evigt og ydmyge mig med den resten af mit liv.

Jeg vidste ikke, hvad jeg skulle gøre, så da det blev tid til at synge, klappede jeg bare i.

De første par sekunder gik det fint nok. Jeg sagde til mig selv, at hvis jeg teknisk set ikke sang med på sangen, ville Rodrick ikke have noget på mig. Men efter et par sekunder opdagede de andre træer, at jeg ikke sang med.

De må have troet, at jeg vidste noget, som de ikke vidste. I hvert fald holdt de også op med at synge.

Nu stod vi der bare alle tre uden at sige et ord. Fru Norton må have troet, at vi havde glemt teksten, for hun kom hen til scenen ude i siden og hviskede resten af ordene til os.

Sangen varer kun cirka tre minutter, men for mig føltes det som halvanden time. Jeg stod bare og bad til, at tæppet ville falde, så vi kunne komme ned fra scenen. Da var det, at jeg fik øje på Patty Farrell ude i kulissen. Og hvis blikke kunne dræbe, ville vi tre træer have været døde. Hun følte nok, at vi ødelagde hendes chance for at komme på det kongelige eller noget.

Men heldigvis mindede synet af hende mig om, hvorfor jeg overhovedet havde meldt mig som træ.

Det varede ikke ret længe, før de andre træer også begyndte at kaste med æbler. Jeg tror endda, Toto hoppede med på vognen.

Nogen ramte Patty, så hun tabte brillerne, og det ene glas gik i stykker. Derefter var fru Norton nødt til at afbryde stykket, fordi Patty er stæreblind uden briller.

Efter stykket tog hele familien hjem sammen. Mor havde blomster med, og jeg gætter på, at de skulle have været til mig. Men hun endte med at smide dem i skraldespanden på vej ud.

Jeg håber bare, at alle blandt publikum morede sig lige så godt som mig.

Onsdag

Nå, hvis der kom noget godt ud af stykket, så er det, at jeg ikke længere behøver at være bange for at blive kaldt "Bubber".

Jeg så Archie Kelly blive mobbet ude på gangen efter femte time i dag, så nu kan jeg endelig begynde at trække vejret lidt mere roligt.

Søndag

Med alt det, der er sket i skolen, har jeg slet ikke haft tid til at tænke på jul. Og der er under ti dage til.

Faktisk opdagede jeg først, at det snart er jul, da
Rodrick hængte sin ønskeseddel op på køleskabet.

Rodricks
ønskeseddel
_____

1. Nye trommer
2. Ny varevogn
3. Skrumpehoved

Jeg plejer at have en rigtig lang ønskeseddel, men
i år ønsker jeg mig ikke rigtig andet end et spil,
der hedder Den Onde Troldmand.

I aftes bladrede Manny i julekataloget og
udvalgte alt det, han ønskede sig. Han satte ring
om hvert eneste stykke legetøj i kataloget med
tyk, rød tusch. Han satte endda også ring om de
rigtig dyre ting som fx kæmpestore fjernstyrede
biler og den slags.

Derfor besluttede jeg som en god storebror at blande mig og give ham et godt råd.

Jeg sagde, at hvis han satte ring om ting, der kostede alt for meget, ville han bare ende med at få tøj i julegave. Jeg rådede ham til at vælge tre-fire gode gaver, der kostede sådan cirka midtimellem. På den måde ville han ende med at få et par ting, som han rent faktisk ønskede sig.

Men Manny fortsatte selvfølgelig med at sætte ring om alting. Så må han bare lære det på den hårde måde.

Da jeg var syv, ønskede jeg mig allermest et Barbie-dukkehus i julegave. Og det var IKKE, fordi jeg kunne li' at lege med pigeting, sådan som Rodrick sagde.

Jeg tænkte bare, at det ville være et overdrevent sejt fort til mine soldater.

Da mor og far så min ønskeseddel det år, kom de op at skændes. Far sagde, at aldrig i livet om han ville give mig et dukkehus, mens mor sagde, at jeg havde godt af at "eksperimentere" med forskellige slags legetøj.

Tro det eller ej, men faktisk endte det med, at far vandt diskussionen. Så gav han mig besked på at skrive en ny ønskeseddel og holde mig til legetøj, der var mere "drengeorienteret". Men når det handler om julen, har jeg et hemmeligt våben. Min onkel Charlie gi'r mig altid lige, hvad jeg ønsker mig. Jeg fortalte ham, at jeg ønskede mig Barbie-dukkehuset, og det var han med på.

Da det så blev juleaften, og jeg åbnede min gave fra onkel Charlie, var det IKKE det, jeg havde ønsket mig. Han må være gået ind i legetøjsbutikken og har bare taget det første og det bedste, der stod Barbie på.

Så hvis du en dag ser et billede af mig, hvor jeg står med en Strandturs-Barbie, så ved du i det mindste hvorfor.

Far var ikke særlig begejstret, da han så, hvad onkel Charlie havde givet mig. Han sagde, at jeg skulle smide den ud eller også give den til en genbrugsbutik.

Men jeg beholdt den alligevel. Og okay, måske tog jeg den frem og legede med den et par gange.

Det var sådan, jeg endte på skadestuen to uger
senere med en lyserød Barbie-sko oppe i næsen.
Og du kan nok regne ud, at Rodrick stadig
punker mig med det.

Torsdag

I aftes var mig og mor ude for at finde en gave til
julebasaren. Julebasaren er en slags hemmelig
julemands-ordning, hvor man gi'r en gave til nogen,
der ikke har så meget.

Mor valgte en rød striksweater til ham julebasar-
fyren, som vi skal gi' en gave.

Jeg forsøgte at overtale hende til at købe noget
lidt mere spændende, som fx et fjernsyn eller en
maskine, der kan lave slush-ice eller noget.

For prøv engang at forestille dig, hvordan det må være kun at få en ulden sweater til jul?

Jeg er sikker på, at ham vores julebasar-fyr smider trøjen lige i skraldespanden sammen med de ti dåser syltet kål, som mor gav til efterårsindsamlingen.

Jul

Da det endelig blev juleaften, lå der nok en million gaver under juletræet. Men da jeg begyndte at læse på til og fra-kortene, var der næsten ingen til mig.

Manny scorede til gengæld kassen. Han fik hver ENESTE ting, han havde sat ring om i kataloget, og det er ikke engang løgn. Så han er nok glad for, at han ikke gjorde, som jeg sagde.

Jeg fandt nogle få ting med mit navn på, men det var mest bøger og sokker og den slags.

Jeg åbnede mine gaver i hjørnet bag sofaen, fordi jeg ikke kan li' at åbne gaver i nærheden af far. Når nogen åbner en gave, er far over dem med det samme for at rydde papiret op.

Jeg gav Manny en legetøjshelikopter, og jeg gav Rodrick en bog om forskellige rockbands. Rodrick gav også mig en bog, men han havde selvfølgelig ikke pakket den ind. Bogen, som jeg fik, hed "Det bedste af Lille Lasse." "Lille Lasse" er den mest elendige tegneserie i hele avisen, og Rodrick ved, hvor meget jeg hader den. Jeg tror, det er fjerde år i træk, han giver mig en bog om "Lille Lasse".

Jeg havde også købt julegaver til mor og far. Jeg gi'r dem samme slags ting hvert år, men forældre er vilde med den slags.

Onkel Charlie holdt også jul hjemme hos os.

Han havde en stor affaldssæk fuld af gaver med, og den allerførste gave, han hev op af sækken, var til mig.

Da jeg så den, vidste jeg, at onkel Charlie havde købt det rigtige, for gaven havde den helt rigtige størrelse og form. Det kunne kun være et Den Onde Troldmand-spil. Mor stod klar med kameraet, og jeg flåede papiret af.

Men det var kun et indrammet fotografi af onkel Charlie.

Jeg var åbenbart ikke særlig god til at skjule min skuffelse, for mor blev vred. Jeg kan bare sige, at jeg er glad for, at jeg kun er et barn. Det må nemlig være komplet umuligt at spille glad for de gaver, som voksne får.

Jeg gik op på værelset for at tage en puster.
Lidt efter bankede far på døren. Han sagde, at
han havde en gave til mig ude i garagen, og at den
stod derude, fordi den var for stor at pakke ind.

Og da jeg kom ud i garagen, stod der en spritny
vægtløfterbænk med vægtstang og det hele.

Den må have kostet en formue. Jeg nænnede ikke at fortælle far, at jeg lissom havde mistet interessen for alt det med styrketræning, fordi vi var færdige med brydning i gymnastik. Så jeg sagde bare "tak".

Jeg tror, far regnede med, at jeg straks ville lægge mig ned på den og begynde at pumpe, men jeg drejede bare om og gik ind i stuen igen.

Da onkel Charlie var gået, sad jeg i sofaen og havde ondt af mig selv, mens Manny legede med alle sine julegaver. Så kom mor hen til mig og sagde, at hun havde fundet en gave til mig fra julemanden bag klaveret.

Pakken var alt for stor til at være Den Onde Troldmand, men mor lavede samme "stor pakke"- nummer med mig forrige år, da hun gav mig et memorycard til min spillekonsol.

Jeg flåede papiret af og åbnede min gave. Det var bare heller ikke Den Onde Troldmand. Det var en kæmpestor rød sweater.

Først troede jeg, at mor lavede sjov med mig, for det var præcis samme sweater, som vi havde købt til julebasar-fyren.

Men mor så også temmelig forundret ud. Hun sagde, at hun HAVDE købt et spil til mig, og at hun ikke anede, hvordan trøjen var havnet i min pakke.

Og så fattede jeg det. Jeg sagde til mor, at pakkerne måtte være blevet forbyttet, så jeg havde fået gaven til julebasaren, og ham den anden havde fået min.

Mor fortalte, at hun havde brugt samme slags gavepapir til begge pakker, og så var hun nok bare kommet til at skrive det forkerte navn på til og fra-kortene.

Men så sagde hun, at det skulle vi bare glæde os over, fordi ham den anden sikkert var blevet rigtig glad for at få sådan en fantastisk gave.

DET ER ET JULEMIRAKEL!

Jeg måtte forklare hende, at han ikke kunne bruge Den Onde Troldmand til noget som helst, fordi man skulle have en spillekonsol og et tv for at spille det.

Selvom min jul ikke ligefrem var den bedste, var jeg sikker på, at den var endnu værre for ham den anden.

Jeg blev enig med mig selv om, at jeg lige så godt kunne smide håndklædet i ringen og gå hjem til Rowley.

Jeg havde glemt at købe en gave til Rowley, så jeg kom bare gavebånd om den "Lille Lasse"-bog, jeg havde fået af Rodrick.

Og det virkede fint.

Rowleys forældre har masser af penge, så hos dem kan jeg næsten altid regne med at få en god gave.

Men Rowley sagde, at i år havde han selv valgt en gave til mig. Så tog han mig med udenfor for at vise mig den.

Rowley var så meget oppe at køre over den gave, han havde til mig, at jeg var sikker på, at det var et kæmpestort fladskærms-tv eller en motorcykel eller noget.

Men også denne gang glædede jeg mig lidt for tidligt.

Rowley havde købt en trehjulet Big Wheel-cykel til mig. Det ville sikkert have været en superfed gave, dengang jeg gik i tredje klasse, men nu aner jeg ikke, hvad jeg skal bruge den til.

Rowley var så begejstret for den, at jeg gjorde mig umage med at spille glad.

Bagefter gik vi indenfor, og Rowley viste mig alt det, han havde fået.

Han havde godt nok fået meget mere end mig. Han havde endda fået Den Onde Troldmand, så nu kan jeg i det mindste spille det, når jeg kommer på besøg. Altså indtil Rowleys far finder ud af, hvor voldeligt det er.

Og jeg kan godt sige dig, ingen er nogensinde blevet så glad for noget, som Rowley blev for sin bog om "Lille Lasse". Hans mor sagde, at det var det eneste på hans ønskeliste, som han ikke havde fået. Jamen, det er da godt, at NOGEN har fået, hvad de ønskede sig.

Nytårsaften

Hvis du undrer dig over, hvorfor jeg sidder på mit værelse klokken 21 nytårsaften, så skal jeg fortælle dig det.

Tidligere i dag fjollede mig og Manny rundt nede i kælderen. Jeg fandt en lillebitte sort nullermand på gulvtæppet og bildte Manny ind, at det var en edderkop. Så holdt jeg den ind over ham og lod, som om jeg ville tvinge ham til at spise den.

Lige da jeg skulle til at give slip på ham, slog han til min hånd, så jeg tabte nullermanden. Og gæt engang? Tror du ikke, fjolset slugte den.

Manny flippede fuldkommen ud. Han løb ovenpå til mor, og så vidste jeg, at jeg var på den.

Manny fortalte mor, at jeg havde tvunget ham til at spise en edderkop. Jeg sagde, at det ikke var nogen edderkop, men bare en lillebitte nullermand.

SNØFT

Mor tog Manny med over til køkkenbordet. Så lagde hun et fuglefrø, en rosin og en vindrue på en tallerken og bad ham pege på den af tingene, der passede bedst i størrelsen med den nullermand, han havde slugt.

Manny gav sig god tid til at se på tingene på tallerkenen.

Så gik han hen og tog en appelsin i køleskabet.

Og det er forklaringen på, at jeg blev sendt tidligt i seng og ligger heroppe i stedet for at være ude og fyre fyrværkeri af.

Og det er også forklaringen på, at mit eneste nytårsforsæt er aldrig mere at lege med Manny.

Onsdag

Jeg har fundet ud af, hvordan vi alligevel får noget
sjov ud af den trehjulede Big Wheel-cykel, som jeg
fik af Rowley til jul. Jeg har opfundet en leg, hvor
den ene kører ned ad bakken, mens den anden skal
forsøge at vælte ham af med en amerikansk fodbold.
Først kørte Rowley ned ad bakken, mens jeg kastede.

Det er meget sværere, end jeg troede, at ramme
noget, der bevæger sig. Men jeg fik nu heller ikke
særlig meget øvelse. Rowley var noget med ti minutter
om at skubbe cyklen op ad bakken efter hver tur.

Rowley spurgte hele tiden, om vi ikke nok kunne bytte, så jeg kørte på cyklen, men jeg er ikke idiot. Den kom nok op på 50 km i timen, og den har ikke nogen bremse.

Under alle omstændigheder fik jeg ikke væltet Rowley af cyklen i dag. Men så er der selvfølgelig noget at arbejde med resten af juleferien.

Torsdag
I dag var jeg på vej over til Rowley, så vi kunne fortsætte cykellegen, men mor sagde, at jeg først skulle skrive takkekort for alle mine julegaver, før jeg gik nogen som helst steder hen.

Jeg havde troet, at jeg kunne fyre sådan nogle takkekort af på en halv time, men da jeg endelig satte mig ned for at gøre det, blev min hjerne helt tom.

Jeg kan godt sige dig, at det ikke er spor nemt at skrive takkekort for noget, som man aldrig har ønsket sig.

Jeg begyndte med de ting, der ikke var tøj, fordi jeg troede, de ville være nemmest. Men allerede efter to-tre kort kunne jeg se, at jeg skrev stort set det samme hver gang. Derfor skrev jeg en skabelon på computeren med tomme mellemrum til de ord, der skulle udskiftes. Derfra var det så let som at klø sig i nakken at få skrevet kortene.

SKRIVE
SKRIVE

Kære tante Lydia,

Mange tak for det fantastiske leksikon!
Hvordan vidste du, at jeg ønskede mig det i julegave?

Du kan tro, at leksikonet ser flot ud på min reol!

Mine venner bliver bare så misundelige over, at jeg
har mit helt eget leksikon.

Tusind tak for den bedste julegave nogensinde!

Kærlig hilsen, Greg

Systemet virkede ret godt med de første par
gaver, men så begyndte det at gå ned ad bakke.

Kære tante Loretta,

Mange tak for det fantastiske   bukser !
Hvordan vidste du, at jeg ønskede mig det i julegave?

Du kan tro, at   bukserne   ser flot ud på min   ben !

Mine venner bliver bare så misundelige over, at jeg har
mit helt eget   bukser.

Tusind tak for den bedste julegave nogensinde!

Kærlig hilsen, Greg

I dag fik jeg endelig væltet Rowley af den
trehjulede cykel, men ikke helt på den måde, jeg
havde tænkt mig. Jeg sigtede efter hans skulder,
men ramte ved siden af, og så røg bolden ind
under forhjulet.

Rowley forsøgte at afbøde faldet ved at tage fra
med armene, men landede temmelig hårdt oven på
sin venstre hånd. Jeg troede bare, han ville ryste
det af sig og hoppe på cyklen igen med det samme,
men det gjorde han ikke. Jeg prøvede at opmuntre
ham, men der var ingen af de vitser, som han plejer at
flække over, der virkede.

Derfor vidste jeg, at det måtte være temmelig alvorligt.

Mandag

Juleferien er forbi, og nu er skolen begyndt igen. Og kan du huske Rowleys uheld på den trehjulede? Det viste sig, at han har brækket hånden, og nu har han gips på. Og i dag myldrede folk om ham, som om han er den helt store helt.

Jeg forsøgte at score et par billige point på Rowleys nyvundne popularitet, men det gav totalt bagslag.

I spisefrikvarteret inviterede en flok piger Rowley hen til deres bord, så de kunne MADE ham.

Det allermest irriterende ved det er, at Rowley er højrehåndet, og det er hans VENSTRE hånd, der er brækket. Så han kan selvfølgelig sagtens selv finde ud af at spise.

Tirsdag

Jeg kunne godt se, at det dér med at være kommet til skade var ret smart, så jeg blev enig med mig selv om, at jeg også trængte til at have slået mig.

Jeg tog noget gazebind med hjemmefra og forbandt min hånd, så det så ud, som om jeg var kommet rigtig slemt til skade.

Jeg kunne ikke regne ud, hvorfor pigerne ikke sværmede om mig, ligesom de gjorde om Rowley, men så forstod jeg pludselig, hvad der var galt.

Gipsen er jo genial, fordi alle gerne vil skrive på den. Og det er ikke ligefrem nemt at skrive med kuglepen på et stykke gazebind.

Derfor fandt jeg på noget, der måtte være lige
så godt.

Også den idé var fuldkommen håbløs. En smule
opmærksomhed endte min forbinding dog med at
få, men jeg kan godt fortælle dig, at det ikke
ligefrem var fra de personer, som jeg håbede på at
tiltrække.

Sidste uge begyndte vi på et nyt skolehalvår, så jeg har fået en masse nye fag. Et af de nye fag, jeg har valgt, er noget, der hedder selvstændigt gruppearbejde.

Jeg ville HELST have valgt udvidet håndarbejde, fordi jeg var ret god til håndarbejde sidste år.

Men man scorer ikke ligefrem ekstra popularitetspoint på skolen ved at være god til at sy.

Men det her med selvstændigt gruppearbejde er noget, som skolen afprøver for første gang.

Det går ud på, at klassen får en projektopgave, og så skal man samarbejde om den i alle timerne, uden at læreren er i klasseværelset.

Det eneste ærgerlige er bare, at når man er færdig, får alle i gruppen samme karakter. Jeg fandt ud af, at Ricky Fisher også har valgt selvstændigt gruppearbejde, og det kan godt gå hen og blive et problem.

Ricky er mest kendt for at pille de gamle tyggegummiklumper af, som sidder under bordene, og gumle løs på dem, hvis nogen giver ham 50 cents for det. Derfor tror jeg ikke, vi skal regne med at få nogen særlig høj karakter.

Tirsdag
I dag fik vi vores opgave i selvstændigt gruppear-bejde, og gæt en gang? Vi skal bygge en robot. Først flippede alle helt ud, fordi vi troede, vi skulle bygge robotten helt fra grunden.

Men hr. Darnell forklarede, at vi ikke rent
teknisk skulle bygge en robot. Vi skulle bare få
idéer til, hvordan en robot kunne se ud, og hvad
den skulle kunne.

Så gik han og lod os være alene i klasseværelset.
Vi begyndte straks at smide om os med idéer. Jeg
skrev en hel masse gode forslag på tavlen.

Alle de andre var ret imponerede over mine forslag,
men det var nemt nok at komme på dem. Jeg skrev
bare alle de ting, som jeg hader at gøre selv.

Men der var selvfølgelig et par piger, der kom op
til tavlen og sagde, at de også havde nogle idéer.
De viskede mine forslag ud og skitserede deres egen
plan.

De ville gerne opfinde en robot, der gav gode råd om kærlighed og havde ti forskellige slags lipgloss på fingerspidserne.

Os drenge syntes nok, det var det dummeste forslag, vi nogensinde havde hørt. Derfor endte vi med at dele os i to grupper, den ene med piger og den anden med drenge. Drengene gik ned bag i klasseværelset, mens pigerne stod og snakkede oppe ved tavlen.

Nu var alle de seriøse kræfter samlet ét sted, og så gik vi i gang. Nogen fik den idé, at man sagde sit navn til robotten, og at den skulle kunne sige det tilbage.

Hej, BOB,
det glæder mig at
møde dig, BOB.

HI BOB

Men så var der nogen, der sagde, at robotten ikke måtte kunne sige øgenavne, fordi den ikke måtte lære at bande. Og så blev vi enige om at lave en liste med alle de grimme ting, som robotten ikke måtte lære at sige.

Vi fandt på alle de sædvanlige bandeord, men så kom Ricky Fischer med tyve mere, som resten af os ikke kendte.

På den måde endte Ricky med at være en af de allervigtigste i gruppen.

Kort før det ringede ud, kom hr. Darnell ind i klassen for at se, hvordan det gik. Han tog vores papir og læste den liste, vi havde skrevet.

For at gøre en lang historie kort, så er selvstændigt gruppearbejde blevet aflyst resten af året.

Eller, det er det i det mindste for os drenge. Så hvis robotter en dag render rundt med lipgloss med kirsebærsmag i stedet for fingre, så ved du nu, hvordan det hele begyndte.

Tirsdag
I dag var der fællessamling i skolen, hvor vi skulle se filmen "Det er skønt at være mig", som de viser os hvert år.

Filmen handler om, at man skal være glad for den, man er, og ikke gå og lave om på sig selv.

Hvis jeg skal være helt ærlig, så synes jeg, det er noget tåbeligt noget at sige til børn, især til dem på min skole.

Senere blev det meddelt, at der var ledige pladser i skolepatruljen, og det syntes jeg var værd at tænke over.

Man kan blive bortvist fra skolen for at drille nogen i skolepatruljen. Og som jeg ser det, har jeg brug for al den ekstra beskyttelse, jeg kan få.

Plus, at det med at være en autoritet kunne være gavnligt for mig.

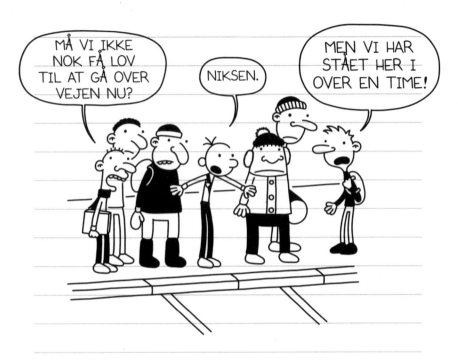

Jeg gik op på hr. Winskys kontor og skrev mig på listen, og jeg fik også Rowley til at skrive sig op. Jeg troede, hr. Winsky ville sætte os til at lave en masse armbøjninger eller mavebøjninger eller noget for at se, om vi duede til jobbet, men han stak os bare et bælte og en badge lige på stedet.

Hr. Winsky fortalte, at der var ledige pladser i
skolepatruljen, fordi han skulle bruge nogen til en
særlig opgave. De mindste børn på skolen går i
mini-SFO, og de har fri klokken tolv. Vores opgave
var at følge de små hjem, når de fik fri. Jeg
regnede straks ud, at det betød, at vi ville gå glip
af de første tyve minutter af matematiktimen. Jeg
tror også, at Rowley regnede det ud, for han
begyndte at sige noget. Men jeg gav ham et
ordentligt los over skinnebenet under bordet, før
han kunne nå at sige det, han havde tænkt sig.

Jeg fattede ikke, at jeg kunne være så heldig.
Jeg fik spontan bøllebeskyttelse og gratis fri fra
en halv matematiktime uden at røre en finger.

<u>Tirsdag</u>

I dag havde vi vores første dag som skolepatrulje. Teknisk set har Rowley og mig ikke poster, vi skal stå på ligesom de andre i skolepatruljen, så derfor slipper vi for at stå ude i kulden, en time før skolen begynder. Men det forhindrede os ikke i at møde op i cafeteriet til gratis varm kakao, som de andre i skolepatruljen får serveret før første time.

KLINK

En af de andre rigtig gode ting ved at være i skolepatruljen er, at man godt må komme ti minutter for sent til første time.

HEJ MED JER!

Jeg kan godt sige dig, jeg har virkelig regnet den ud med den skolepatrulje.

Klokken 12.15 hentede Rowley og mig børnene i mini-SFO'en og fulgte dem hjem. Alt i alt tog turen tre kvarter, og da vi kom tilbage, var der kun tyve minutter tilbage af matematiktimen.

Det var super nemt at følge de små hjem, selvom en af dem begyndte at lugte lidt mystisk undervejs. Jeg tror, han muligvis var kommet til at lave i bukserne.

Han forsøgte at sige det til mig, men jeg stirrede bare lige ud i luften og gik videre. Jeg skal nok følge ungerne hjem, men jeg har altså ikke skrevet mig op til en ble-tjans.

FEBRUAR

<u>Onsdag</u>

I dag sneede det for første gang denne vinter, og vi fik snefri. Vi skulle have haft prøve i matematik, og jeg har sjoflet faget temmelig meget, siden jeg begyndte i skolepatruljen. Så jeg var selvfølgelig overlykkelig.

Jeg ringede til Rowley og inviterede ham over. I flere år har ham og mig talt om at bygge verdens største snemand.

Og når jeg siger verdens største snemand, så mener jeg det virkelig. Vi går efter at få den med i Guinness Rekordbog.

BLITZ

Men hver gang vi har været klar til at gøre et
seriøst forsøg, smeltede al sneen, så det alligevel
ikke kunne lade sig gøre. Så i år var jeg fast
besluttet på at komme i gang med det samme.

Da Rowley kom, gik vi i gang med at rulle den
første snebold, der skulle bruges til snemandens
underkrop. Jeg havde regnet ud, at underkroppen
alene skulle være omkring tre meter høj, hvis vi
skulle have en chance for at slå rekorden. Men
snebolden blev rigtig tung, og vi blev nødt til at
holde hvil hvert andet minut for at få vejret.

Mens vi holdt pause, kom mor ud for at køre til købmanden, men hun kunne ikke komme ud, fordi vores snebold lå i vejen for hendes bil. Så dér fik vi lidt gratis arbejde ud af hende.

Da Rowley og mig var færdige med at holde pause, trillede vi videre med snebolden, indtil vi ikke kunne skubbe den længere. Men haven så helt forfærdelig ud.

Snebolden var blevet så tung, at den havde revet alt
det rullegræs op, som far havde lagt i efteråret.

Jeg håbede, at det ville sne et par centimeter
mere, så man ikke kunne se det, men lige pludselig
holdt det bare op.

Vores plan om at bygge verdens største snemand
var ved at gå i vasken. Derfor fandt jeg på noget
endnu bedre, som vi kunne bruge vores snebold til.

Hver gang det sner, kommer alle dem fra Whirley
Street og bruger vores vej som kælkebakke, selvom
de bor i et helt andet kvarter.

Så når dem fra Whirley Street kommer traskende op ad vores vej i morgen, har Rowley og mig tænkt os at gi' dem en lærestreg.

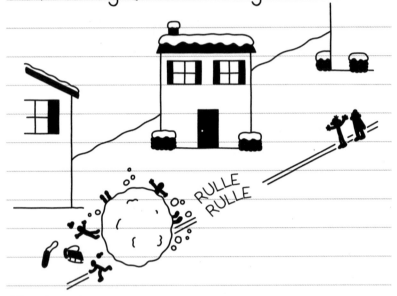

Torsdag

Sneen var allerede begyndt at smelte, da jeg vågnede i morges. Derfor ringede jeg til Rowley og sagde, at han skulle skynde sig at komme over til mig.

Mens jeg ventede på Rowley, fik jeg tiden til at gå med at se på Manny, der var ved at bygge en snemand ud af de usle, små sneklatter, der var tilbage, efter at vi havde trillet vores snebold rundt over det hele.

Det var faktisk ret ynkeligt at se på.

Det var nærmest umuligt for mig ikke at gøre det, som jeg så gjorde. Desværre gjorde jeg det på lige præcis det tidspunkt, hvor far valgte at se ud ad vinduet.

Far var i FORVEJEN sur på mig, fordi jeg havde ødelagt rullegræsset, så nu vankede der vist. Jeg hørte garageporten gå op, og jeg så far komme gående ud med en stor sneskraber over skulderen, og jeg troede, der ikke var andet at gøre end at tage benene på nakken.

Men far gik direkte efter min snebold og på under et minut havde han forvandlet alle vores anstrengelser til ingenting.

Kort efter kom Rowley. Jeg tænkte, at han måske ville more sig over det, der var sket.

Men han havde åbenbart virkelig glædet sig til at trille snebolden ned ad vejen, og han blev rigtig sur. Men æd lige den her: Rowley var sur på MIG på grund af det, FAR havde gjort. Jeg sagde til ham, at han opførte sig som et pattebarn, og så begyndte vi at skubbe til hinanden. Netop som jeg troede, at vi ville begynde at slås for alvor, kom der et overraskelsesangreb ude fra vejen.

Det var dem fra Whirley Street, der lavede et bagholdsangreb. Og hvis fru Levine, altså min engelsklærer, havde været her, er jeg sikker på, at hun ville have sagt, at det var "skæbnens ironi".

Onsdag

I dag i skolen fik jeg at vide, at der er et ledigt job som tegneserietegner på skolebladet. Der er kun én tegneserietegner på bladet, og indtil nu har det været en dreng ved navn Bryan Little, der ikke har givet plads til andre end sig selv.

Bryan har en tegneserie, der hedder "Gale Hund",
og i begyndelsen var den faktisk ret sjov.

Men på det seneste er Bryan begyndt at bruge
striben til personlige budskaber. Det er nok
derfor, han har fået kniven.

Gale Hund		Bryan Little
Hey, Gale Hund, sig noget SJOVT!	Faktisk har jeg noget alvorligt, jeg gerne vil sige.	Susan Lim, hvis du læser det her, så er Bryan meget ked af, at han kyssede din bedste veninde Rachel i kopirummet. Han håber meget, du vil tilgive ham. P.S. Barry Palmer, du skylder stadig Bryan fem dollars, din BUMS!

Straks jeg hørte det, vidste jeg, at jeg var nødt
til at søge jobbet. "Gale Hund" havde gjort Bryan
Little til noget af en berømthed på skolen, og det
kunne jeg også godt tænke mig at blive.

Jeg havde fået en forsmag på, hvordan det var at
være berømt på skolen, da jeg blev fremhævet i en
kampagne mod rygning, der havde kørt engang.

Det eneste, jeg havde gjort, var at kalkere et
billede i et af Rodricks metalrockblade, men
heldigvis var der ingen, der opdagede det.

Ham, der vandt, hedder Chris Carney. Og det
mest irriterende er, at Chris ryger mindst en hel
pakke cigaretter om dagen.

Torsdag

Rowley og mig blev enige om at lave en tegneserie
sammen. Derfor gik han med mig hjem efter skole,
og så gik vi i gang.

Vi tryllede lynhurtigt en masse figurer frem, men
det viste sig at være det nemmeste af det. Det
var mere, da vi skulle finde på nogle gode jokes, at
vi løb panden mod muren.

Men til sidst fik jeg en god idé.

Jeg opfandt en tegneserie, hvor pointen i hver
eneste stribe er "Tak for kaffe!"

På den måde behøvede vi ikke at finde på rigtige
vittigheder, men kunne koncentrere os om
billederne.

Til de første par striber skrev jeg teksten og tegnede figurerne, mens Rowley tegnede kasserne uden om billederne.

Rowley begyndte at brokke sig over, at han ikke havde nok at lave, så han fik også lov til at skrive et par striber.

Men hvis jeg må være ærlig, så faldt kvaliteten temmelig drastisk, da Rowley begyndte at skrive striberne.

Til sidst blev jeg temmelig træt af hele "Tak for kaffe!"-idéen og lod mere eller mindre Rowley køre hele showet alene.

Og tro det eller ej, Rowley tegner endnu værre, end han skriver.

Jeg foreslog Rowley, at vi fandt på noget nyt, men han ville bare fortsætte med "Tak for kaffe!"-jokes. Så pakkede han sine tegneserier sammen og tog hjem, og det var fint med mig. Som om jeg gider være makker med en, der ikke engang tegner næser.

Da Rowley var taget hjem i går, kom jeg for alvor i gang med nogle striber. Jeg opfandt en figur ved navn Tosse-Thorkild, og så kørte det bare.

TOSSE-THORKILD af Greg Heffley

Jeg tror, jeg fyrede noget med tyve striber af uden så meget som at få sved på panden.

Det gode ved de her "Tosse-Thorkild"-tegneserier er, at med alle de idioter, der render rundt på skolen, løber jeg ALDRIG tør for materiale.

Da jeg kom i skole i dag, gik jeg op på hr. Iras
kontor med mine tegneseriestriber. Det er ham,
der står for skolebladet.

Da jeg skulle til at aflevere mine striber, så jeg,
at der allerede lå en stak tegneserier fra andre
elever, der også gik efter at få jobbet.

De fleste af dem var ikke særlig gode, så jeg var
ikke specielt bekymret for konkurrencen.

Piger
ER SEJE!

af tabitha
cutter og
lisa russel

du skal ikke komme i
nærheden af vores
kantinebord, tyler green!

nej, du er ikke
engang
lækker!

ha ha ha ha ha
ha ha ha ha!

TRIP

piger er SEJE!

:SMACK:

En af striberne hed "Dumme Lærere" og var skrevet af Bill Tritt.

Bill får altid eftersidninger, og han har nok et horn i siden på alle lærere på hele skolen. Også på hr. Ira.

Så jeg er heller ikke særlig bekymret for, at Bill får jobbet.

Faktisk lå der et par hæderlige tegneserier i stakken. Men dem gemte jeg bare under en papirbunke på hr. Iras skrivebord.

Forhåbentlig dukker de ikke op, før jeg er begyndt i gymnasiet.

Torsdag

I dag kom der den meddelelse over højtaleranlægget, som jeg havde håbet på.

Skolebladet udkom lige før spisefrikvarteret, og alle sad og læste i det.

Jeg havde vildt meget lyst til at tage et eksemplar i bunken for at se mit navn på tryk, men indtil videre bestemte jeg mig for at spille cool.

Jeg satte mig for bordenden af et af de lange
kantineborde for at få plads til at skrive autografer
til alle mine nye fans. Men der kom ikke nogen hen
og fortalte mig, hvor fed min tegneserie var, og jeg
begyndte at få på fornemmelsen, at der var noget galt.

Jeg tog et skoleblad og gik ud på toilettet for at
tjekke det. Og jeg havde nær fået et hjerteanfald,
da jeg så min tegneserie.

Hr. Ira havde sagt, at han havde lavet nogle
"smårettelser" i min stribe. Jeg troede bare, han
havde rettet stavefejl og den slags, men han
havde slagtet den fuldstændigt. Og så var det
endda gået ud over en af mine yndlingsstriber. I
originalen har Tosse-Thorkild matematikprøve og
kommer ved et uheld til at spise den. Og så
skælder læreren ham ud for at være et kæmpe
kvaj.

177

Men efter det, hr. Ira havde gjort ved den, var den ikke til at kende.

Tænke-Thorkild

af Greg Heffley

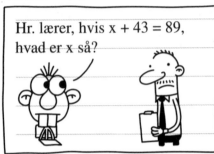

Hr. lærer, hvis x + 43 = 89, hvad er x så?

Thorkild, så er x = 46!

Tak. Børn, hvis I vil vide mere om matematik, skal I huske at lægge vejen forbi hr. Humphreys kontor. Eller I kan gå på biblioteket og besøge afdelingen for matematik og naturvidenskab, der nu er blevet endnu større!

Så jeg kommer nok ikke til at skrive autografer lige med det første.

DUKSEDRENG!

SKUB

MARTS

<u>Onsdag</u>

I dag stod Rowley og mig og fik en kop varm kakao
i kantinen sammen med de andre i skolepatruljen,
da der blev kaldt over højtaleranlægget.

Rowley gik op på hr. Winskys kontor, og da han
kom tilbage et kvarter senere, så han temmelig
rystet ud.

Hr. Winsky var åbenbart blevet ringet op af en
forælder, der sagde, at hun havde set Rowley
"terrorisere" børnene fra mini-SFO'en, mens han
fulgte dem hjem fra skole. Og det var hr. Winsky
blevet meget vred over.

Rowley fortalte, at hr. Winsky havde råbt af ham i ti minutter og kaldt ham "en skændsel for skolepatruljen".

Jeg tror muligvis godt, at jeg ved, hvad det handler om. I forrige uge havde Rowley prøve i fjerde time, og derfor fulgte jeg børnene fra mini-SFO'en hjem alene.

Det havde regnet hele formiddagen, så der lå masser af regnorme på fortovet. Derfor besluttede jeg at lave lidt sjov, med de små.

Men en af naboerne så det og råbte ad mig oppe
fra sit hus.

Det var fru Irvine, der er veninde med Rowleys
mor. Hun må have troet, at jeg var Rowley, fordi
jeg havde lånt hans jakke. Og jeg havde i hvert
fald ikke tænkt mig at rette hende.

Jeg havde glemt alt om det indtil i dag.

Resultatet blev, at hr. Winsky sagde, at Rowley
skal sige undskyld til børnene i mini-SFO'en i morgen
tidlig, og at han er bortvist fra skolepatrulje
i en hel uge.

Jeg vidste egentlig godt, at jeg burde fortælle hr. Winsky, at det var mig, der løb efter de små med regnorme. Men jeg var bare ikke klar til at melde ud. Jeg vidste, at hvis jeg talte rent ud af posen, ville jeg miste retten til varm kakao om morgenen. Og indtil videre var det nok til at lukke munden på mig.

Under aftensmaden kunne mor godt mærke, at der var noget, der trykkede mig, så da vi var færdige med at spise, kom hun op på mit værelse for at få en snak. Jeg fortalte hende, at jeg stod i en vanskelig situation, hvor jeg ikke vidste, hvad jeg skulle gøre.

Jeg må sige, at mor tacklede det på en virkelig fin måde. Hun forsøgte ikke at pumpe mig for oplysninger. Hun sagde bare, at jeg skulle gøre det "rigtige", fordi den type valg viser, hvem man er.

Det synes jeg lyder som et ret klogt råd. Men jeg er stadig ikke 100 % sikker på, hvad jeg skal gøre i morgen.

Torsdag

Jeg har ligget hele natten og vendt og drejet mig over det med Rowley, men til sidst tog jeg en beslutning. Jeg fandt ud af, at det rigtige simpelthen var at lade Rowley tage skraldet i denne omgang.

På vej hjem fra skole gik jeg til bekendelse og fortalte Rowley, hvad der i virkeligheden var sket, og at det var mig, der havde løbet efter ungerne fra mini-SFO'en med regnorme på en pind.

Så sagde jeg til ham, at vi begge kunne lære noget af det her. Jeg fortalte, at jeg var blevet mere forsigtig med, hvad jeg foretog mig uden for fru Irvines hus, og at han også havde lært noget værdifuldt, nemlig at han skulle passe på med, hvem han lånte sin jakke til.

DET HAR VIST GIVET OS **BEGGE** EN LÆRESTREG.

Oprigtig talt tror jeg ikke, at Rowley fattede budskabet.

Vi havde aftalt at være sammen efter skole i dag, men han sagde, at han bare ville hjem og ha' en lur.

Det kan jeg sådan set godt forstå. Jeg ville også have været helt tappet for kræfter, hvis det var mig, der ikke havde fået min kakao i morges.

Da jeg kom hjem, ventede mor på mig inden for døren.

Fordi jeg havde været så sød, inviterede mor på is ude i byen. Og hvis jeg har lært noget af alt det her, så er det, at en gang imellem kan det godt betale sig at lytte til sin mor.

Tirsdag

I dag blev der udsendt en ny meddelelse over højtaleranlægget, og jeg må nok tilstå, at jeg mere eller mindre havde set den komme.

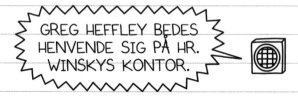

Jeg vidste, at det kun var et spørgsmål om tid, før jeg blev knaldet for det, der skete i sidste uge.

Hr. Winsky var edderspændt rasende, da jeg mødte op på hans kontor. Han fortalte mig, at en "anonym kilde" havde oplyst ham om, at jeg var den sande synder i regnormejagts-episoden.

Så sagde han, at jeg var fritaget fra patruljetjeneste med "omgående virkning".

Ja, man skal ikke være Sherlock Holmes for at regne ud, at Rowley var den anonyme kilde. Jeg er rystet over, at Rowley har dolket mig i ryggen på den måde. Mens jeg sad på kontoret og fik skældt huden fuld af hr. Winsky, sagde jeg til mig selv, at jeg skulle huske at fortælle min ven lidt om, hvad loyalitet er for noget.

Senere hen kom Rowley med i skolepatruljen igen. Og hør så lige det værste: Han blev tilmed FORFREMMET. Ifølge hr. Winsky har Rowley opført sig "storsindet", selvom han var offer for en "uretmæssig anklage".

Jeg overvejede at give Rowley det glatte lag, fordi han havde sladret, men så kom jeg i tanke om noget.

Lige før sommerferien kommer alle medlemmerne af skolepatruljen en tur i Tivoli, og de har alle sammen lov til at invitere en ven med. Jeg må sørge for, at Rowley ved, at det er mig, han skal satse på.

Tirsdag

Som sagt er det værste ved at blive smidt ud af skolepatruljen, at man ikke længere kan få gratis varm kakao.

Hver morgen stiller jeg mig ved kantinens bagudgang, så Rowley kan fikse en kop til mig.

Men enten er min ven blevet døv, eller også ser han mig bare ikke, fordi han har travlt med at fedte for de andre medlemmer af skolepatruljen.

Nu jeg tænker over det, har Rowley faktisk været TOTALT kold over for mig på det seneste. Og det er virkelig tyndt, for så vidt jeg husker, var det HAM, der sladrede om MIG.

Selvom Rowley har opført sig som en klovn på det seneste, prøvede jeg alligevel at komme i kontakt med ham i dag. Men DET virkede heller ikke.

APRIL

<u>Fredag</u>

Lige siden historien med regnormene har Rowley været sammen med Collin Lee efter skole hver eneste dag. Det værste ved det er, at Collin skal forestille at være MIN reserveven. De opfører sig totalt åndssvagt. I dag havde Rowley og Collin ens T-shirts på, og det var lige til at brække sig over.

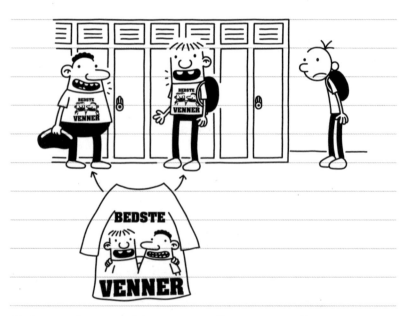

Efter aftensmaden så jeg Rowley og Collin gå sammen op ad bakken. De så ud, som om de rigtig hyggede sig.

Collin havde en taske med tøj og sovepose med, så jeg kunne regne ud, at han skulle sove hjemme hos Rowley. Okay, tænkte jeg. Sådan kan jeg også lege, hvis det skal være. Den bedste måde at gøre gengæld mod Rowley på var ved selv at få en ny bedste ven. Men desværre kunne jeg ikke lige komme i tanke om andre end Fregley.

Jeg gik hjem til Fregley med min egen sovepose for at vise Rowley, at han ikke var den eneste, der havde andre muligheder.

Da jeg kom, stod Fregley ude foran og stak til en drage med en kæp. Så var det, at jeg begyndte at få kolde fødder og tænkte, at det måske ikke var nogen god idé alligevel.

Men Rowley stod ude på vejen og kiggede på mig,
så jeg kunne selvfølgelig ikke bare vende om.

Jeg inviterede mig selv indenfor hjemme hos Fregley.
Hans mor sagde, at hun var meget glad for at se
Fregley sammen med en "legekammerat", og det var
ikke ligefrem et ord, jeg var særlig begejstret for.

Fregley og mig gik op på hans værelse. Han
forsøgte at få mig til at lege Twister, så jeg
sørgede for hele tiden at holde mig på tre skridts
afstand af ham. Jeg blev enig med mig selv om at
droppe hele den her åndssvage idé og gå hjem.
Men når jeg kiggede ud ad vinduet, stod Rowley
og Collin stadig ude på vejen foran Rowleys hus.

Jeg ville ikke gå hjem, så længe de stod der. Men nærmest samtidigt begyndte det at gå helt galt med Fregley. Mens jeg stod og kiggede ud ad vinduet, kastede Fregley sig over min rygsæk og spiste hele den pose pinocchiokugler, jeg havde med.

Fregley er en af dem, der ikke må få sukker, så inden der var gået to minutter, drønede han rundt og kravlede i gardinerne.

Han begyndte at opføre sig som en total stjernepsykopat og jagtede mig rundt på hele overetagen. Jeg blev ved med at tænke, at nu kunne hans sukkerchok da ikke vare længere, men det blev ved. Til sidst låste jeg mig inde på badeværelset for at vente på, at han gik kold.

Omkring klokken 23.30 blev der stille ude på gangen. Og så var det, at Fregley skubbede en seddel ind under døren.

Jeg samlede den op og læste, hvad han havde skrevet.

> Kære Greg
> Du må undskylde at jeg løb efter dig med en bussemand på fingeren. Jeg har sat den her på papiret for at du kan gøre gengæld.
> →

Det er det sidste, jeg husker, før jeg besvimede.

Jeg kom til mig selv igen nogle timer senere. Da jeg vågnede, åbnede jeg forsigtigt døren på klem og hørte Fregley snorke inde på sit værelse. Så besluttede jeg mig for at tage benene på nakken.

Mor og far var ikke særlig glade for at blive vækket klokken to om natten, men på det tidspunkt var jeg faktisk ret så ligeglad.

<u>Mandag</u>

I dag har Rowley og mig officielt været eksvenner i en måned, og ærlig talt klarer jeg mig bedre uden ham.

Det er rart at kunne gøre, lige hvad jeg har lyst til, uden hele tiden at skulle slæbe rundt på ham.

På det seneste har jeg været meget nede på Rodricks værelse for at rode i hans ting, når jeg kom hjem fra skole. Her forleden fandt jeg en Blå Bog fra dengang, han gik i udskolingen.

Rodrick har skrevet på alle billederne i bogen, så man kan se, hvad han syntes om dem, han gik i klasse med.

En gang imellem ser jeg Rodricks gamle klassekammerater rundtomkring. Og jeg må huske at takke Rodrick for at have gjort det meget sjovere at blive slæbt med til sangaften.

Men den bedste side i Rodricks Blå Bog er alligevel den med Klassens Favoritter. Det er siden med billeder af alle dem, der bliver valgt som den mest populære og den dygtigste og den slags.

Rodrick havde også skrevet på siden med Klassens Favoritter.

STØRSTE FREMTIDSUDSIGTER

Bill Watson   Kathy Nguyen

Jeg kan godt sige dig, at det her med Klassens Favoritter virkelig har sat mine tanker i sving.

Hvis man kan få en plads på siden med Klassens Favoritter, er man praktisk talt udødelig. Og det er endda nærmest ligegyldigt, om man lever op til det eller ej, for når det først står der sort på hvidt, så gælder det for altid.

Folk opfører sig stadig over for Bill Watson, som om han er noget særligt, selvom han er endt med at droppe ud af gymnasiet.

198

En gang imellem støder vi stadig på ham i supermarkedet.

Så derfor er det, jeg tænker: Det har været lidt af et skodskoleår, men hvis jeg kan blive stemt ind som en af Klassens Favoritter, slutter det i det mindste med en optur.

Jeg har forsøgt at finde en kategori, hvor jeg har en chance. Mest Populære og Bedst til idræt er helt klart udelukket, så jeg må gå efter noget, der er lidt mere inden for rækkevidde. Først tænkte jeg, at jeg kunne ta' rigtig pænt tøj på resten af året og blive valgt som den Bedst Klædte.

Men så ville jeg skulle fotograferes sammen med Jenna Stewart, og hun ligner en, der går i kirke tre gange om dagen.

Onsdag

Da jeg lå i sengen i går aftes, slog det mig pludselig: Jeg bør gå efter at blive Klassens Klovn.

Ikke fordi jeg er kendt for at være super sjov i skolen eller noget, men måske kan det gøre det, hvis jeg kan fyre ét godt stunt af lige før afstemningen.

AUTSJ!

TEGNESTIFT

MAJ

<u>Torsdag</u>

I dag prøvede jeg at regne ud, hvordan jeg kunne få lagt en tegnestift på hr. Worths stol i historie, da han sagde noget, der fik mig til at revurdere min plan.

Hr. Worth fortalte, at han skulle til tandlægen i timen i morgen, og at vi derfor skulle have vikar. Vikarer er det rene guld, når man vil lave sjov. Man kan sige stort set hvad som helst til dem uden at få ballade.

<u>Fredag</u>

I dag havde jeg planen klar, da jeg gik ind til historie. Men da jeg kom ind i klassen, hvem tror du så, vores vikar var?

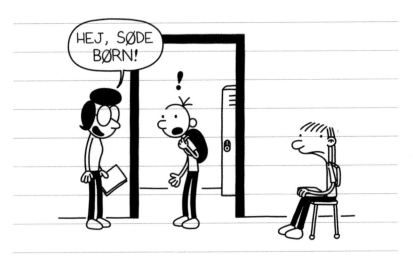

Af alle mennesker i hele verden skulle vi selvfølgelig lige netop i dag have mor som vikar. Jeg troede ellers, at mor var færdig med at hjælpe til på skolen.

Engang var hun med i en forældrebank, hvor forældre kunne komme og hjælpe til i klasserne. Men det holdt hun op med efter en klasseudflugt til zoologisk have i tredje klasse.

Mor havde forberedt alle mulige spørgeskemaer om de forskellige dyr, men det eneste, vi gik op i, var at se dyrene tisse og lave pølser.

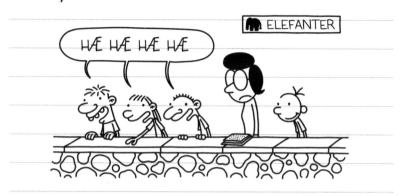

Men under alle omstændigheder ødelagde mor fuldkommen min plan om at blive valgt som Klassens Klovn. Jeg skal bare være glad for, at der ikke er noget, der hedder Mors Lille Dengsedreng, for efter i dag ville jeg vinde den kategori stort.

<u>Onsdag</u>

Der kom nyt skoleblad igen i dag. Jeg sagde op som tegner på bladet efter det med "Tænke-Thorkild", og jeg var sådan set ligeglad med, hvem der var blevet min efterfølger. Men i spisefrikvarteret sad alle og lo over tegneserien, så jeg snuppede et blad for at se, hvad det var, der var så morsomt. Og da jeg slog op på tegneseriesiden, troede jeg, det var løgn.

Det var "Tak for kaffe". Og selvfølgelig havde hr. Ira ikke ændret så meget som et ORD i Rowleys stribe.

Tak for kaffe   af Rowley Jefferson

Hej smukke dame, skal vi komme sammen?

Jeg er ikke en dame, jeg er bare en af de der langhårede hunde, så nej tak til at være kærester.

TAK FOR KAFFE!

Så nu får Rowley al den berømmelse, som jeg skulle have haft.

Selv lærerne fedter for ham. Min frokost var lige ved at komme op igen, da hr. Worth tabte kridtet i historietimen.

Mandag

Jeg er virkelig hidsig over det her med "Tak for kaffe". Rowley får al æren for en tegneserie, som vi fandt på i fællesskab. Jeg tænkte, at det mindste, han kunne gøre, var at skrive mig på som medforfatter.

Derfor gik jeg hen til Rowley efter skoletid og fortalte ham, at det blev han nødt til. Men Rowley sagde, at han helt SELV havde fundet på "Tak for kaffe", og at jeg ikke havde noget med den at gøre.

Vi råbte åbenbart temmelig højt, for lige pludselig stod der en hel klump rundt om os.

Dem på min skole er ALTID syge efter at se en slåskamp. Rowley og mig forsøgte at gå vores vej, men de havde ikke tænkt sig at lade os slippe, før vi begyndte at slå på hinanden. Jeg har aldrig nogensinde været oppe at slås for alvor, så jeg vidste ikke, hvordan jeg skulle stå med benene eller holde knytnæverne eller noget. Og man kunne se, at Rowley heller ikke anede, hvordan man gjorde, for han begyndte bare at hoppe omkring som en vild badutspringer.

Jeg følte mig ret sikker på, at jeg godt kunne klare Rowley i en slåskamp, men jeg ville ikke risikere noget. Rowley går nemlig til karate. Jeg ved ikke, hvad for noget hokuspokus de lærer på Rowleys karatehold, men det sidste, jeg havde brug for, var at blive lagt ned for øjnene af alle.

Før det for alvor nåede at udvikle sig, lød der pludselig hvinende dæk på parkeringspladsen. En flok unge fyre var kommet kørende i en pickup, og nu myldrede de ud.

Jeg var bare glad for, at alle havde travlt med at se på dem i stedet for på Rowley og mig. Men alle de andre fra skolen stak af, da de store kom hen mod os.

Og så gik det op for mig, at der var noget forfærdelig bekendt ved dem her.

Pludselig vidste jeg, hvem de var. Det var de samme fyre, der havde været efter Rowley og mig, da det var halloween, og nu havde de endelig fundet os.

Og før vi kunne nå at stikke af, vred de vores arme om på ryggen.

De ville give os en lærestreg, fordi vi havde været frække over for dem til halloween, og nu gav de sig til at diskutere, hvad de skulle gøre ved os.

Men helt ærligt, så var jeg mere bekymret for noget helt andet. Ostefnatten lå på asfalten kun to meter fra os, og den så mere væmmelig ud end nogensinde.

Den største af dem må have fulgt mit blik, for straks efter stod han også og kiggede på Ostefnatten. Og det gav ham åbenbart lige den idé, som han manglede.

Rowley blev udvalgt som den første. Ham den store tog fat i ham og slæbte ham hen til Ostefnatten.

Jeg har ikke tænkt mig at fortælle præcis, hvad der derefter skete. For hvis Rowley en dag har tænkt sig at stille op til præsidentvalget, og nogen finder ud af, hvad de her fyre fik ham til at gøre, har han ingen chance. Så lad mig sige det på denne måde: De tvang Rowley til at
_ _ _ _ _ _ Ostefnatten.

Jeg vidste, at de ville få mig til at gøre det samme. Jeg blev grebet af panik, for jeg vidste, at jeg ikke kunne slippe væk.

Derfor kom snakketøjet på overarbejde.

Og tro det eller ej, det virkede rent faktisk.

De store drenge mente åbenbart, at de havde fået sagt, hvad de ville, for da de havde fået Rowley til at spise resten af Ostefnatten, lod de os gå. De steg ind i pickuppen og kørte deres vej.

Mig og Rowley fulgtes ad hjem. Men vi sagde ikke rigtigt noget til hinanden.

Jeg overvejede at sige til Rowley, at han måske godt kunne have hevet et par af sine karatetricks op af lommen henne på parkeringspladsen, men et eller andet sagde mig, at det måske ikke var det mest velvalgte tidspunkt at sige det på.

RYSTE
RYSTE

<u>Tirsdag</u>
I dag fik vi lov at gå udenfor i spisefrikvarteret.

Der gik cirka fem sekunder, før nogen opdagede, at Ostefnatten ikke længere lå på asfalten, som den plejede.

Alle kom hen og gloede på stedet, hvor Ostefnatten plejede at ligge. Folk kunne ikke fatte, at den ikke længere var der.

Inden længe begyndte folk at komme med vilde teorier om, hvad der var sket med Ostefnatten. Nogen sagde, at den sikkert havde fået ben og var gået sin vej.

Det krævede kolossal selvbeherskelse ikke at sige noget. Og hvis Rowley ikke havde stået lige ved siden af mig, tror jeg helt ærligt ikke, at jeg ville have kunnet holde min mund.

Et par af dem, der diskuterede, hvad der var sket med Ostefnatten, var de samme, der havde forsøgt at få Rowley og mig til at komme op at slås i går eftermiddags. Derfor vidste jeg, at det kun var et spørgsmål om tid, før nogen lagde to og to sammen og regnede ud, at vi måtte have noget med det at gøre. Rowley var ved at gå i panik, og det forstår jeg godt. Rowley ville være færdig, hvis sandheden om, hvordan Ostefnatten forsvandt, nogensinde kom frem. Så ville han være nødt til at flytte til en anden by og måske endda til et andet land.

Så var det, at jeg besluttede at sige noget.

Jeg fortalte alle de andre, at jeg godt vidste, hvad der var sket med Ostefnatten. Jeg sagde, at jeg var blevet træt af at se på den, og at jeg simpelthen havde besluttet mig for at smide den ud én gang for alle.

I et kort øjeblik stod alle bomstille. Jeg troede, at de ville begynde at takke mig for det, jeg havde gjort, men dér tog jeg fejl. Hvor ville jeg ønske, at jeg havde formuleret mig lidt anderledes. For gæt engang, hvad det betød, hvis jeg havde smidt Ostefnatten ud? Så betød det, at jeg havde rørt ved den, og så havde jeg fået Ostefnat.

SKRIG!

SKRIG!

JUNI

<u>Fredag</u>

Hvis Rowley er glad for, hvad jeg gjorde for ham, så har han ikke sagt det endnu. Men vi er begyndt at være sammen efter skoletid igen, så det må vel betyde, at tingene er ligesom før.

Jeg kan helt oprigtigt sige, at det slet ikke har været så dårligt at have Ostefnat.

For eksempel slap jeg for folkedans i gymnastik, fordi ingen ville danse med mig. Og hver dag har jeg et helt bord for mig selv i kantinen.

I dag var det sidste skoledag før sommerferien, og den Blå Bog blev delt ud i sidste time.

Jeg slog op på siden med Klassens Favoritter, og her er, hvad jeg så:

KLASSENS KLOVN

Rowley Jefferson

Jeg kan kun sige, at hvis nogen er interesseret i en gratis Blå Bog, så ligger der én i skralde-spanden i kantinen. For min skyld kan Rowley godt få lov at være Klassens Klovn. Men hvis han nogensinde begynder at blive for høj i hatten, minder jeg ham bare om, at det var ham der _ _ _ _ _ _ Ostefnatten.

TAK

Mange hjalp til med at bringe denne bog til verden, men fire personer fortjener en særlig tak.

Forlaget Abrams' redaktør Charlie Kochman, hvis indsats for serien om Wimpy Kid overgår mine største forventninger. Man er en heldig forfatter med Charlie som redaktør.

Jess Brallier, der har blik for styrken og potentialet i online-publishing og som hjalp Greg Heffely med at nå ud til masserne. Især takker jeg for dit venskab og din støtte.

Patrick, der hjalp med at gøre bogen endnu bedre og ikke var bange for at sige til, når en vittighed ikke holdt.

Min kone, Julie, hvis uvurderlige styrke er årsagen til, at bogen fik liv.

OM FORFATTEREN

Jeff Kinney har ligget nr. 1 på *New York Times* bestsellerliste og har vundet Nickelodeon Kids' Choice Award for Bedste bog seks gange. Jeff har været på Time Magazines liste over de 100 mest indflydelsesrige personer i verden. Han har også skabt Poptropica. com, som Time Magazine har udnævnt til at være en af de 50 bedste hjemmesider. Han er vokset op i Washington D.C og flyttede til New England i 1995. Jeff bor i det sydlige Massachusetts med sin kone og deres to sønner. Sammen har de boghandelen An Unlikely Story.